JN200709

新住岡夜晃選集

［五］仏法ひろまれ

一九四五年（昭和二〇年）―一九四九年（昭和二四年）

法藏館

晩年の住岡夜晃
1948（昭和23）年、真宗光明団創立30周年頃に本部の住岡夜晃の書斎にて撮影された（真宗光明団蔵）

住岡夜晃による書画

「私は鬼だ。このおにを真に引き受けて下さるのは親様だけだとわかった人は世界一の智慧者である」。本巻119頁参照（山田家蔵）

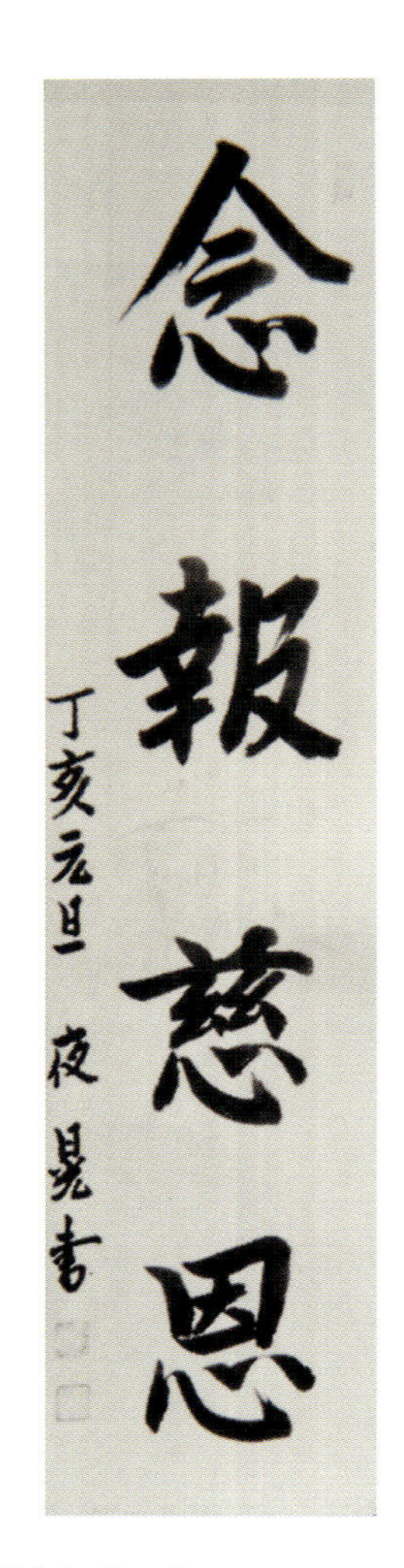

住岡夜晃による書「念報慈恩」
1947（昭和22）年元旦に書かれた善導大師『法事讃』中の「慈恩を念報して常に頂戴せよ」より（真宗光明団蔵）

新住岡夜晃選集　第五巻　仏法ひろまれ　目次

第三章　念仏者は無碍の一道なり

【凡 例】

一、『新住岡夜晃選集』全五巻は、『住岡夜晃全集』全二十巻（昭和三十六年～昭和四十一年）を底本に、「新住岡夜晃選集編集委員会」において文章を選別・編集した。

二、原文尊重を原則に、可能な限り住岡夜晃の文章通りとしたが、大正期から昭和二十四年までに書かれたもので、現代の読者に読み難いところもあり、以下の点については編集委員会の責任で修正した。

かな遣いや送りがな等は現代表記に改め、段落の区切りや行替えも一部修正したものがある。旧漢字は、現在一般に使用されている常用漢字等に改めるとともに、現在使用されていないもので平がなに直した方が分かり易いものは修正した。また、読み方の難しい仏教用語や漢字・熟語等には編集委員会において振りがなを付し、読者の読み易いように努めた。また、住岡夜晃が独特の読み方をしている箇所のものは、それをそのまま生かして振りがなを付した。

三、「経・論・釈」や親鸞聖人・法然聖人等の著作物からの引用文については、原則として住岡夜晃が使用していた『聖典』（明治書院刊――以下『島地聖典』という）を使い、かな遣いも表記のままとした。なお、漢字は常用漢字等に改められるものは変更した。

また、読者の利便を考慮して、引用文の後ろに（　）で、『島地聖典』、西本願寺の『浄土真宗聖典（註釈版、第二版）』、東本願寺の『真宗聖典』の記載場所を付加して掲載した。

＊『島地聖典』では、通しページ番号ではなく、例えば「一二三―三」のようになっているが、「一二三」は聖典記載の左右の欄外数字で『歎異抄』を指し、その三ページ目からの引用であることを示している。

（例）「念仏者は無碍の一道なり　そのいはれいかんとならば、信心の行者には天神地祇も敬伏し、魔界外道も障碍することなし　罪悪も業報を感ずることあたはず、諸善も及ぶことなき故也と、云々」

（島地一二三―三、西八三六、東六二九）

四、文章の中には、差別や偏見など現代の人権感覚に合わない表現があるが、時代背景・歴史的事実にかんがみて、編集委員会としての判断で原文のまま掲載した箇所がある。しかし、差別を助長する意があって掲載するものではない。差別は大きな誤りであり、人権に関する問題は、仏教の教える深い智慧からも解決していくべき課題であると考えている。また、現代科学に即していない内容だが、原文のまま掲載した箇所もある。

五、節題や小見出しは、住岡夜晃の付けたもののままでは意図が伝わり難いと判断したものは、編集委員会の責任で一部変更したり追加したものがある。

（例）第四巻第一章の四「家庭の和楽」（原題）→「念仏中心の家庭」（本選集）

六、「注」については、難解な用語の右に番号で印をつけ、該当ページ近くに付けた。これについては、岩波書店発行の『広辞苑』（第六版）等を参考にし、編集委員会の責任で著した。

七、各巻の最後に、その巻の収録文章の「住岡夜晃著作出典一覧」を付けた。

八、住岡夜晃の生涯を紹介する「略年譜」については、第五巻『仏法ひろまれ』の末尾に付けてある。

以上

第一章　世の中安穏なれ

思い返せば昭和十五年七月、時の政府の命によって『聖光』『光明』両誌が廃刊せられました。その時ばかりは本当に悲しかった。それがこのたび再び出ることになりました。私も嬉しい。しかし、待ちこがれていてくださる御同胞はもっと喜んでくださることを知っています。敗戦国になっても我らは宗教の自由、個人の人格の尊厳等、高価なものを得ることができました。けれども、もし内に真実の自覚なく、醜い人間の煩悩ばかりがものをいったのでは、決して真の社会的自由はあり得ない。このとき再び私の月々の便りが会えない友のもとに届くと思えば、嬉しくてならない。親鸞聖人の『御本典』は、日本歴史の富士の山、この山より流れ出る如来浄土の清水が私の魂を育ててくださる。幸いに有縁の友の念仏の心の中に一流の宝水を注ぎ得るならば、これに越す幸はありません。

（昭和二十三年一月）

一　光明

人は光明がなくては生きられぬ。であるから、人は何かに光明を認めて生きているのである。光とは何であるのか。君が光というのは何であるのか。その答え一つが君の価値を決定するであろう。

貧しい者には、金こそ光である。何とか生きていける者にとっては、名利（みょうり）の満足こそ光である。病む者にとっては全快こそ光である。そして君にあっては何が一体光なのであろうか。

光を求める者は、自らが暗黒の中にいることを感ずるがゆえである。暗いから、光を求めるのである。甲が金の中にいるから安心を感じ光を感じている時、乙は、金の中にいつつ不安を感じ暗（やみ）を感ずるのである。であるから、暗を感ずるということは、その人の精神生活の深さに比例するのである。

動乱そのものの人生にあって不安を感ぜず悩みを感ぜず、苦しまずして生きていけることが、凡夫（ぼんぶ）の悲哀である。悩まず苦しまず求めないがゆえに、真の光明が、何であるかを知ることができない。悩みに打ち当たったものは幸せである。人生の暗黒が身にしみて感ぜられる人は幸せである。

人の世の光となった人達は皆、人の世の暗に泣いた人達であった。普通の人が平気で通られた問題を平気で通れなかった人である。人生をいい加減にごまかして通れなかったのである。生とは何であるか、死とは何であるか、愛とは何であるか、道とは何であるか、人格とは何であるか、自覚とは何であるか、何一つとして解決がついてはいないではないか。

しかるに我らは、親鸞聖人の法流（ほうる）に遇（もうあ）うことができて、光明とは何であるか、無明の黒闇とは何であるか、自覚とは何であるか、人格とは何であるか、道とは何であるか等々の問題を一つにして、「生死（しょうじ）の一大事」「後生（ごしょう）の一大事」となし、これを信の一字において解決し、念仏一行として我らの上に回施（えせ）してくださった。

念仏したとて苦しみが無くなるのではない。念仏したとて悩みが少なくなるのではない。正しく真に苦しみ悩むことを教えてくださるのである。本当の苦しみ方、本当の悩み方のなされるところには、深い光がある。たとい人生を楽天化してゲラゲラ笑って過ごしても、それが至極浅薄なものであり、正しいものでないならば、その楽しみには、深い闇（やみ）が裏付けられている。

万世を照らすような光、万人をつつむような深い光、そうした不滅の光明を仰ぎたい。誰に知られなくてもいい、どんな苦悩の中でもいい。永遠の常住の光明を仰ぎたい。それが万人の心の底の願いではないか。

暗深(やみ)きに驚くことなかれ。暗深ければ光明も深し。念仏道においていよいよ不滅常住の光明の無限なるを知ることである。

二　日本を救う道は何か

日本を救う道――教育者の皆様に捧ぐ――

個の尊厳の問題

一人の人間が全体を築く一個の煉瓦に過ぎなかった全体主義の時代は、敗戦の悪夢の中に崩れて、再び人間の自由と人格の尊厳とが社会構成の基盤とせられる時代は訪れた。それはまた何よりも嬉しく有難いことであった。今や何者の圧迫をも、生きる背後に感じない時が来た。青天の下、大きく生き得る時が来た。しかしそれは本当の人間の解放であったか、個の尊厳の発揮であり得たか。それとも猛獣・群賊(ぐんぞく)の、曠野(こうや)への解放であったか。いうまでもなく民族は、その恥ずかしい姿を世界に曝露したのである。自由は放縦とはきちがえられ、強盗・窃盗・賄賂横行・無道義・無節操等々、百鬼夜行のていたらくを出現してしまった。背後に加わる暗黒の魔手が去ってほっと一息の時、前に群賊悪獣の大群におそわれた形である。かくして個の尊厳は新しい課題として我らの手に渡されたのである。

未曾有の歴史的自覚

　思うに、事変中は画一的な枠の中にはめこまれて、ある美しさを保っていたかのごとくであった。しかしそれは煉瓦（れんが）壁の美しさ、キューピー運動(注)の美しさであった。それが一度枠がはずされ、強制的な号令がなくなると、一度に野獣的・本能的な力がおどり出て、一世を闇黒の中に包んでしまったのであった。世の識者はそれについて既に批判しつくした形である。いわく軍国主義の教育の結果、いわく他動的・他律的注入教育の責任、いわく物資不足の結果、いわく無宗教の現実曝露などなど、みな一応その結論の正しいことを認めざるを得ないであろう。しかし、ここに我らが忠実に考えてみなくてはならぬことは、はたして美しきものが醜悪なるものに一変したのであるか、それとも本来醜悪であったものが、ただ形を変えたのであるかということである。神軍ははたして神軍であったのか、恐るべき鬼畜であったのか、それは今厳（おごそ）かに裁かれてある。

　仏説によれば、まさしく人生は無明（むみょう）の海であり生死の苦海（くかい）である。神の国でもなければ浄土でもない。「三界無安（さんがいにやすきことなし）猶如火宅（なおしかたくのごとし）」、『法華経』の言葉は正しい。五濁悪世（ごじょくあくせ）の中に住むものは一生造悪の凡夫でしかない。もとから穢悪の凡夫が高上りしていただけのことである。このたびのことは誠にこの憍慢に対する一大鉄槌を下されたのである。それである。まことにそれである。我ら民への歴史的自覚――それはかつて一度も無かった――をうながす大否定の鉄槌である。民族の心に巣くう根強い我執・我慢に対する大否定の鉄槌である。これから後起こる一切の諸現象はみな、この精神的大革命、未曾有の大革命を成就せしめんがための波動にすぎない。而してかかる歴史的・精神的大革命の自覚は、まず誰によって為されねばならぬであろうか。

信の自覚

それは誠に教育者であらねばならぬ。聖徳太子の時代にも、大化の改新にも、明治維新の時にも無かったところの、真に未曾有の大革新は、過去の時代のように一人の英雄、一人の聖者によって成就されるのではなくて、かなり多くの人が中心となり、それがやがて国民すべてに及ぼす力となって成就されるのである。それがすなわち民主的改新だと思う。八千万の大多数

（注）キューピー運動：キューピー人形をモチーフにした童謡「おもちゃのマーチ」が発表され、行進曲の規則的なリズムが、画一的な美しさの喩えとされた。

は政治によらなければならぬものであるかも知れない。すなわち衣食足らざれば国民は安定しないのである。しかるにその間にあって、政治によらずして生き得る人、すなわち真に道を念じて、内に自覚を成じ、この国土の苦悩を摂取し消化し得る健全なる胃腸の持ち主、まことに強い胃の腑(ふ)の人が要る。個の人格の尊厳をいたずらに主張して他を顧みないえせ民主主義でなくて、内に真に自覚による人格の尊厳を成じて、次の世代を負う青少年にぶつかってゆく真の教育者が、一人でも多く誕生することよりほかに、日本を救う道はあり得ないと思われる。

かくのごとき自覚とは、実に親鸞のいわゆる「信」の自覚である。念仏の自覚である。誠に他力回向の大信とは、人生という大砂漠に湧くオアシスである。無限の闇を照破する如来本願の顕現であり、久遠の御いのちの泉である。一切の苦悩は、この泉に融合してはじめて、歴史的現実、永遠の現実となり得るであろう。「世間虚仮(せけんはこけにして)　唯仏是真(ただぶつのみこれまことなり)」、虚仮を照らし出すのはただ仏である。虚仮を虚仮と知って仏の真実に帰すれば、虚仮の信知において仏の真実は自覚感知せられ、苦悩の深さは如来真実の無限を信知せしめる縁となるであろう。日本国土の至るところに地湧(ちゆう)の泉が出現してこなければならない。そしてこの信の泉に民族の業苦のすべてが受け取られてこなければならない。かくして如来は、民族の内奥(ないおう)にひそむ自力・我慢・我執を照破し否定し回心懺悔(えしんさんげ)せしめて、民族を本然(ほんぜん)の相(そう)におき、内に金剛の信を成じて個の尊厳を顕現せしめたもうであろう。

三　宗教問答

問　仏教がだんだんと衰えていくのはどこに原因があるのだろうか。

答　それは仏教者に「信」がないからである。蓮如上人は「信も無くて人に『信をとられよとられよ』と申すは、我は物を持たずして人に物をとらすべきといふの心なり、人承引あるべからず」（島地三〇―一四、西一二六一、東八七二）と仰せられた。これだけである。仏教で衣食しつつ信がない。したがって聞く気がない。聞法精進の願心がない。それよりほかに仏教荒廃の原因はあり得ない。

問　しかしほかにも、たとえば時代の感覚をもって布教しないということもその原因ではないだろうか。

答　確かにそれもある。若い世代の感覚がない。いつまでたっても明治・大正・終戦前の古いものの感じ方しかないということもあるだろう。しかしダンスが流行すれば寺をダンスホールにしたり、僧侶が労働組合を作ろうとしたり、フランス文学が紹介されるとすぐそれに走ったり、そうすることが必要なことであろうか。

そうではない。時代の烈しい変転のすべてを、変転しない普遍の立場で受け取ってゆく。歴史的なものと、超歴史的なものとの一体の信心(しんしょうたいげ)、そこに本当のお念仏の宗教がある。時代の流れを流れてゆく、それは流転でしかない。時代の流れに無関心に人生と遊離した極楽参りを望む人を笑うとともに、時代に迎合して、願生浄土、往生浄土といえば感覚が古いように思って捨ててしまうのも違う。人生の具体的な生活の中に真の願生浄土の道がある。願生の信の智慧のみが、本当の人生の受け取り方をするであろう。だから、若い感覚ということも、年齢にはよらない。やはり信心の智慧の問題にもどってくると思われる。

問　宗教と封建性をどう思うか。

答　宗教ほど封建性の垢のつきやすいものはない。新聞を見ると、本願寺に対して軍政部から宗門の封建性を指摘され、堂班(注)廃止の問題が出されたとあった。御同朋・御同行の宗門、墨染めの衣より身にせられなかった親鸞聖人の宗教に、今日までこんなことがあったのが不可解のようですが、「中外日報」などで論破されたくらいでは眼がさめず、敗戦という高価な代価を払って、おまけに進駐軍に言われないと、落ちてこないほど堅い垢である。しかし悪くすると、封建性をこわすと何もなくなる場合があろう。

　真の伝統とは、この封建性をやすりで落とした後に光るもの、そのものだけが真の宗教である。すなわち真実の教行信証の流れ、信のいのちの流れだけが正しい伝統なのである。私たちは謙虚に、しかし生命を打ち込んで、この名号の御いのちの流れに帰入しなければならない。この問題も、つまりは信心の智慧が解決する。今までも信心の人はあまり堂班競争などしなかった。

問　左翼のある人は、宗教に生きる者は人生の逃避者だというが、どうだろうか。

答　さあ、どちらが人生の逃避者であろうか。我々もまた人生の苦悩を逃避したり、自暴自棄したりしない生き方が宗教であると信じている。その宗教生活が逃避だと思われるのは、闘争的でないからであるまいか。闘争的であることが人生への真の随順であり、宗教的信に生きる

（注）堂班（どうはん）：真宗における寺院の階次。

ことが人生からの逃避だとは思われない。宗教は人間を本来の人間につれかえり、自然法爾の生き方、正直な生き方にあらしめるのであって、人生からの逃避ではない。人生への随順であり、反人生ではなくて、人生を超えしめるものである。もし願生浄土の宗教をもって、この世ならぬ彼岸の浄土へ生まれようとするが故に人生からの逃避だというならば、それは浄土の宗教を知らぬものである。人生をもって旅路と考え、一筋の白道をお浄土まで歩もうとすることは、人生の実相を正しく領解するからである。人生は何人にとっても旅路である。厳粛なる旅路であって、執着して享楽の場所とすべき処ではない。昔から真剣に生きた人たちにとっては、人生は度ってゆかねばならぬ旅路であったのだ。誰にも彼にもやがて死が来る――。

問　その死だ。死ぬることなど考えるから、どうしても消極的になりやすいのじゃないか。

答　そうかも知れぬ。しかしそれもやむを得ない。私はしかしこう思う。「もっと人間がみな死を考えて消極的になったら、この世ももう少しは生きやすいところになりはしないか」と。気負いこんで、することと為すことがみな、名利・煩悩の仕事であって、積極的にやる人間が一番人を苦しめる人ではないか。人間のすることは、よいことがそのまま悪いことである。人は死ととっくんで生きる時、はじめて偽らざる生き方、本当のものを求めてくるのではあるまいか。私はもっともっと消極的な生き方、内が空虚なままで外へ積極的である生き方より、外へ消極的で内へ積極的に生きる生き方、すなわち、内厳為本の生き方に徹すべきだと思う。人間から反省とか、内観とか、謙虚な生き方を取り去ったら、人間ほど恐るべきものはあるまい。そしてそれを今の世は証明している。もっともっと内に内に、そして一歩一歩静かに生きていこう。

問　しかし宗教はあまりに人生を主観的に考えすぎはしないか。社会運動・経済問題などによって、まず社会から改造しなければ人生問題の解決はないのじゃないか。

答　そういうことも必要である。しかしそれと宗教とは問題の次元が違うのだ。何思想・何運動・何社会であろうと、たとい人生におけるある種の問題をどうにかすることができたとしても、それで人生そのものが解決したのではない。宗教は人間の努力や精神力や運動などなどによっては、どうすることもできない人生の苦悩の中から生まれてくるものであり、その人生それ自体を解明しようとするものなのである。自分らの主義や思想で、人生そのものが全部解決できるなどと考えるのは愚かなる高慢でしかない。宗教の要らないような社会を造ってみせるなどと考えている人があるとすれば、それはよほど狂信的思想の持ち主であろう。

人間には、相対的なものの取り扱いは許されても、絶対的な解決をする力は与えられない。見てごらん、人類の動きを。はてしなき闘争を理論づけまでしてやっているではないか。親鸞聖人の「生死の苦海ほとりなし、久しく沈める我ら……」の仰せを裏付けするかの如く。かくして宗教は人間の本質的な苦悩があるかぎり無くならないであろう。

四　真宗といのり

「親鸞聖人御消息集」にいわく、

「それにつけても念仏を深くたのみて世のいのりに心に入れて申し合せたまふべしとぞおぼえ候　御文のやうおほかたの陳状よく御はからひども候ひけり、うれしく候　詮じさふらふ所は、御身にかぎらず念仏まをさん人々は、わが御身の料は思召さずとも、朝家の御ため国民のために念仏をまをし合せたまひさふらはばめでたう候ふべし　往生を不定に思召さん人はまづわが身の往生を思召して御念仏さふらふべし　わが身の往生一定と思召さん人は仏の御恩をおぼしめさんに御報恩のため御念仏こころに入れて申して『世のなか安穏なれ、仏法ひろまれ』と思召すべしとぞ覚え候　よくよく御案さふらふべし」（第二

章）

（島地二二―一、西七八四、東五六八）

またいわく、

「念仏を御心にいれてつねに申して、念仏そしらん人々此世・後の世までの事をいのりあはせたまふべく候　御身どもの料（りょう）は御念仏は今は何かはせさせたまふべき　ただ僻（ひが）うたる世の人々をいのり弥陀の御誓にいれと思召しあはば、仏の御恩を報じまゐらせたまふになり候ふべし」（第九章）

（島地二二―九、西八〇八、東五七八）

事のおこり

以上二通の御手紙は、親鸞聖人から御弟子の性信坊（しょうしんぼう）へ送られたものである。聖人としては、滅多にない「いのり」を肯定された大切な文献である。この「御消息」を頂いて念仏の意を明らかにしたいと思う。

第一文の中に「御文のやうおほかたの陳状よく御はからひども候ひけり、うれしく候」とあるのは、性信坊をほめられたお言葉である。

まず事のおこりは、聖人の御時代は天下の政治は北條氏が鎌倉において握っていた。ところが鎌倉幕府にむかって、聖道門（しょうどうもん）の僧侶、山伏、神主らが、「浄土真宗は、実にけしからん宗旨である。外道の法である。神国に生をうけながら神明を軽んじ、神棚を祭らず、注連縄（しめなわ）を張らず、現世祈禱をなさず、国政に違するものであるから、何とかこれを禁制してくだされ」と、鎌倉へ訴え出たのである。そうした時、性信坊が鎌倉へ下り、浄土真宗について申し開きをして、真宗破滅を救ったのである。それを聖人がお喜びなされて、性信坊に対して御感賞の御手紙を下されたのが、はじめに出した「御消息」である。

しかしこの「御消息」では、その時代の鎌倉への讒訴（ざんそ）の内容が明らかでないが、聖人御往生の後、三代目の覚如上人の時になって、またまた聖道門の人や山伏らが讒言（ざんげん）により、鎌倉幕府より真宗を破滅せんとした。その時、存覚上人が鎌倉に下りて、その讒言の一一についてこれを破斥して、当流の真意を書き認（したた）めて幕府に出された。それがすなわち「破邪顕正申状（はじゃけんしょうもうしじょう）」で、今はこれを『破邪顕正鈔』三巻として御聖教の一つとなっている。それを拝見すると鎌倉への讒言の内容が何であったかがわかる。それによると、

一、一向専修の念仏は仏法ではなくて外道の法であるが故に停止（ちょうじ）すべきこと。
二、法華・真言等の大乗の法を雑行と称するのがよろしくない。
三、浄土宗という宗名を立てることがいけない。
四、念仏は小乗の法であって真実出離の行にあらず。

五、念仏は世間のため不吉の法であるから停止すべきこと。
六、戒行を持つは仏法にあらずと言うて、戒行を止めるよう勧化するのがいけない。
七、『小経』及び『往生礼讃』を外道の教えと名づけ地獄の業と称し、「和讃」をもって往生の業であるというそうだが、それがいけない。
八、神明を軽しむるよしの事。
九、死のけがれを言わず、日の吉凶をえらばざるは不法至極。
十、仏法を破滅し、王法をゆるがせにするとのこと。
十一、念仏行者は、ひとの死後に路を教えぬこと、邪見のきわまりであること。
十二、仏前において魚鳥の肉を供えるそうだとのこと。
十三、魚肉に別の名をつけて、念仏勤行の道場にもちこみ、これを食するとのこと。
十四、念仏勤行のついでに、仏前にして、親子の儀を存ぜず、自他の妻といわず、たがいにこれをゆるしもちゆるよしのこと。
十五、灯明と名をつけて銭をあげさせて貪るは、邪法のいたすところであるとのこと。
十六、もし念仏が往生の業ならば、自らこれを称えて往生すべし。あながち善知識を求めて、師資相承(ししそうじょう)はいらぬこと。
十七、念仏を修せば、自行のためこれをつとめて往生をねがうべし。無智の身をもって、人を勧化することが悪い。

以上、十七か条についてそれぞれ釈明してある。その中には、愚にもつかないことがある。また、言うところの向こうが仏法でないもの、たとえば日の吉凶を言わぬの、死人に引導（いんどう）をわたさず道を教えぬのというのがそれである。また誤解がたくさんある。また真宗の皮相だけ見たもの、神明を軽んずるの、政道の邪魔になるのと。そうした迫害は、これから後にもずっと続いてきた。いつの時代にもあったが一向専念の行者たちは、決して、教えを曲げなかった。決して貴族の奴隷にもならないし、現世祈禱にも堕落しなかった。

もし時の権力が破滅しようとすれば、石山合戦の時のごとく織田信長の力の前にも屈しなかった。江戸時代になると平田篤胤が出て、惟神（かんながら）の道を明らかにすると、仏法を排撃し、とくに真宗を攻撃する、水戸の斉昭（なりあき）が有名な排仏家。「坊主ほど馬鹿者なし、しかしそれは仏法が悪いからだ。弥陀・観音が悪人正機などとて悪をすすめる。故にまず仏を罰せよ。金仏・梵鐘は引き下ろして大砲・小砲にせよ」といった調子、やがて昭和になって、将軍たちが、「戦争がすんだら、仏法とくに真宗を一番先にたたきつぶすから、さよう心得ろ」。そうしてとうとう彼らが陛下をして五内を裂くの熱苦に陥れ、国を破滅せしめてしまった。日本は万国の祖国だの、神道は万国の道だのと説いた平田篤胤こそ、国を滅した元凶である。

しかもかかる問題は遠く聖人の御在世にすでに動いていたのである。真宗をもって神明を軽しめたてまつるの、王法をゆるがせにするのという。しかし神明に奉仕するかに見えて神明をして人間の我慢に奉仕せしめ（S博士の談）、天皇に忠なるがごとくして、天皇にこそ彼らの術策を押しつけ従わしめたのである。真宗の真意を知らずして昔も今もなされる反逆・迫害・攻撃の思想や権力が何であるか。それが今、歴史的審判の前におかれたのである。

今この「御消息」は、聖人の真意が現われた大切なものである。性信坊に対する御賞状に、はからずも聖人の念仏の意が顕れたのである。親鸞聖人は、朝に夕に、国家・祖国を口にされない。それよりも金剛の真心（しんしん）を生き抜くことに専念された。口にかけて国家・社会を言うて、しかもその身の行うところは実に非国家的であり反社会的な大言壮語である。かかる輩によって国は滅んだのである。大事なことは、あまり口にされない、時々おもらしなさるお言葉の中に、まことに聖人の真意を知るのである。今もまたそうであって、朝家のため国民のため念仏申せだの、世のいのりに心を入れてなどとは全くあまりみ教えの中にないことである。それ故に大事に頂くべきである。念仏行者はまず徹底的に自己自身について考える。汝自身を問題にする。そして絶対的な自己超越、根源的な大安心（あんじん）を求める。そこについに与えられるものが、何ら功利的なものを持たないところの純粋無雑な大信心である。その大信心の国家的・社会的・人類的な意義は何であるか。それを今示されたのがこの「御消息」である。

二種のいのり

聖人は『高僧和讃』において、

「仏号むねと修すれども　現世をいのる行者をば
　これも雑修(ざっしゅ)となづけてぞ　千中(せんじゅう)無一(むいち)ときらはるる」

（島地一一―二八、西五九〇、東四九五）

と仰せになった。現世をいのるとは現世祈禱である。現世祈禱は雑修である。現世祈禱するものには、千中に一人も往生成仏の出来るものはない。全く現世祈禱厳禁の宗教、それが真宗念仏である。しかるに今、性信坊に対する「御消息」においては、

「念仏を深くたのみて世のいのりに心に入れて申し合せたまふべしとぞおぼえ候」

と言い、また、

「念仏を御心にいれてつねに申して、念仏そしらん人々此の世・後の世までの事をいのりあはせたまふべく候」

と諭(さと)し、また、

「ただ僻(ひが)うたる世の人々をいのり弥陀の御誓にいれと思召しあはば、仏の御恩を報じまゐら

せたまふになり候ふべし」

と教えたもうてある。ここでは厳禁のはずの現世祈禱が許してある。許してあるどころではない、勧励してある。真の念仏行者にはいのりがある。宗教とはいのりである。

今、「和讃」では現世祈禱を厳禁し、「御消息」においては、お勧めなさるとすれば、現世祈禱に二種ありと言わなければならない。そのたてわけはいかに考えらるべきであろうか。

往生一定のところに

「詮じさふらふ所は、御身にかぎらず念仏まをさん人々は、わが御身の料は思召さずとも、朝家の御ため国民のために念仏をまをし合せたまひさふらはばめでたう候ふべし」

わが御身の料とは、わが身のためということ、念仏申す人は、わが身のためのことは考えなくても、朝家の御ため国民のために念仏申せといわれる。国家・国民のために念仏申せ、念仏してもわが身のことは考えるな。もっとも、

「往生を不定に思召さん人はまづわが身の往生を思召して御念仏さふらふべし」

自分の往生が未だ定まらぬ人は、まずわが身の往生が決定されなければならない。

「わが身の往生一定と思召さん人は仏の御恩をおぼしめさんに御報恩のために御念仏こころに入れて申して『世のなか安穏なれ、仏法ひろまれ』と思召すべしとぞ覚え候」

以上の思し召しを頂いてわかることは、往生一定の大信決定が山になっていることである。信心決定が無いならば、真のいのりは生まれてこないことである。

言うまでもなく、親鸞聖人のお念仏は、報恩謝徳の念仏、報恩行の念仏であった。お念仏を称えて、称名をもってわが功とするのは、自力念仏、二十願の真門の念仏、お念仏を自我功利の毒素によって包んだ善本徳本の念仏、称えながらも、自力疑心の去らぬ念仏、往生一定と手の離れぬ念仏である。

しかるに十八願の世界は、如来本願の大悲真実が真心徹到と、五臓六腑に入りみちてくださって、久遠劫来の疑惑無明が光の前に消え失せて、信心歓喜と、一念大慶喜心を獲れば、功徳の大宝海をその身に満足して、余るものなく、足らぬものなく、罪悪生死の凡夫、「無有出離之縁」と全我を光明功徳海中に投げ出して、しかも煩悩の光明の外にはみ出すものなく、八万四千の功徳、名号の中に摂在して足らぬものなく、足り足って微塵も求めることなき大安心境が開けてきて「念仏して地獄に堕ちたりともさらに後悔すべからず候」との手ばなしの念仏の世界に出る。

これは全く報謝の念仏である。広大なる恩徳のみ、身にしむ念仏、信海流出、自然の念仏、十七願所行そのままの念仏、如来回向の大行、衆生の上にあるけれども、機よりいささかも添えぬ、行者のためには、非行非善の念仏、これがすなわち真実報恩の大行である。この報恩の大行は、そのまま金剛の大信心とともなる念仏である。

今、聖人の仰せになる「いのり」は誠に、一念真実帰命、極難信の峠を越えて後、全き報恩念仏の世界にあるところのいのりであることが知られる。報恩の心の底に動くいのりの意、それがすなわち真実のいのりである。

虚仮のいのり

雑修のいのり、千中無一と嫌わるるところの雑修のいのりとは何であるか、それは、無明疑惑の致すところ、無智の相、娑婆執着の妄想分別の迷心である。いわく病気平癒、商売繁盛などなど、皆しかりである。世にこれを称して「おかげ」という。こころみに彼の迷信国に足を踏み入れてみれば、神というも仏というも、皆このおかげを得んがためである。仏の前に、祝詞(のりと)をあげて柏手(かしわで)を打って何か祈っているものがある。仏だろうが、神だろうが、何でもいいのである。必勝祈願をいくらやっても、見向きする神一人もなし。迷信暗黒、幽霊・亡者の死の有様、たまたま治る病が治ったら幽霊がぞろぞろついてゆく。現代文明の世の中に、病気になっても、断じて医者には診察させぬ、胃癌であろうが、一二指腸虫であろうが、心の置き換え、神様のおかげで治るとて、注射一本・薬一服のまぬ世界もある。祈禱師・お大師、何たら教にかかって治ったはずが重態となった時、今さらのごとく、医者の袖に泣きすがり「この度だけ、たった一度、どうにかしてこの病を治してください」と死の前に泣き叫ぶのが、迷信王国の人民の最後だそうだ。

なんと念仏行者の最後と違っていること。迷信王国では、近所に病人ができると、隣近所総出動でお百度をふみ、お水やお守りを持って病人に勧める。もしわが子が病気になっても祈らぬ親であったら「無慈悲なものだ、あれでも親かいの」と笑う、いかに、水ごりを取っていのったとて、負けるものは負け、死ぬものは死ぬる。そうした虚仮(こけ)の欲望を満たしてくれるものとして、神仏の中に自分の顚倒(てんどう)・妄想の投影を、あたかも神仏の御意であるかのごとく拝み、それに向かって祈願請求する。同じ人丸神社でも、これを「ひ、とまる」(火止まる)と読んで火難除けの対象とし、「ひと、まる」(人生まる)と読んで安産の神様だという。なんのかのと功利的ないのり・祈禱、そんな人は、日の吉凶、方角のよしあしからおみくじまで、独立独歩、衷心の信力・信念によって生きることは出来ない、全くの幽霊・亡者である。かかる死の国から意外にも、真宗念仏の世界へ打ってくるのである。時の政府の力を借りて念仏を停めようとしたのである。

念仏すなわちいのり

先に私はいのりを二種に分けて、真実のいのりと虚仮のいのりとしたが、昔の学者は「順理のいのり」と「非理のいのり」と名づけた。真宗において絶対に雑修として否定せられるのは、非理の祈禱である。今『御消息集』にお勧めになるいのりは、順理のいのり、すなわち道理に合ったいのりである。

真実のいのりは、念仏そのものの内に在るのである。念仏をおいて外に、いのりの手段も目的もないのである。先に真実のいのりについて言うがごとく、すでに本願大悲真実によりて満足し、足り足って満ち満つるところ、「仏の御恩をおぼしめさんに御報恩のため御念仏こころに入れて申して『世のなか安穏なれ、仏法ひろまれ』と思召すべしとぞ覚え候」と仰せになって、自分自身のためには何ものも求むる心のない報恩謝徳の念仏、その念仏の中に、いのりがあるのである。また「わが御身の料は思召さずとも、朝家の御ため国民のために念仏をまをし合せたまひさふらはばめでたう候ふべし」とあり、わがためでなくて、国家のため、国民のために念仏せよとの仰せである。いのりとは念仏である。念仏するままがいのりである。

世のいのり

念仏即祈禱について二つの意がある。すなわちそれが、一には「世のなか安穏なれ」であり、二には「仏法ひろまれ」である。すなわち初めは世のための祈りであり、後は仏法弘通(ぐづう)のいのりである。

世の中に一人として国家・社会・人類の安穏、すなわち平和を求めていない人はない。しかるに求めていつつ、いつまでも平和でなく安穏でない。人間は賢いようでも愚かである。まことに愚かな凡夫である。それ故に国のためといって国を亡ぼし、東亜のためといって世界を苦しめる。これが正しい、これが真実だ、と思って為（な）したことが皆、後になってみれば罪悪である。あの理念もこのイデオロギーも駄目であった。人間は皆愚かなのだ。その愚かということさえ知らぬほど愚かなのだ。

親鸞聖人にあっては「煩悩具足の凡夫・火宅無常の世界は万（よろず）の事みなもてそらごと・たわごと・真実（まこと）あること無きに、ただ念仏のみぞまことにて在（おわ）します」（『歎異抄』）（島地二三—一三、西八五三、東五一一）。念仏に生きるよりほかに真実はなかったのである。念仏して世の中安かれと祈ること、それよりほかには、生かされる道は全くなかったのである。であるから念仏は愚者のいのりである。唯一のいのりである。必然の絶対のいのりである。

あるいは言うであろう。念仏はあまりに消極的だと。しかし何が消極的であり何が積極的であるか、インドのガンジーは、身に寸鉄を帯びずして宗教的いのりの上に立って、大英帝国を向こうに回して、ついにインド四億の人を解放した。それはあまりに消極的だというか、一千万動員の大動員の大積極も、インドの一御老人の精神生活には及ばなかった。七戦犯のほとんどは念仏して死んでいった。彼らは真の「平和の発見」を念仏によってしたのである。我らが全て、大野望をおこす代わりに念仏していたら、富国強兵のスローガンを「念仏して世のなか安穏なれ」にしていたら、日本の国はどうなったであろう。忠義と思ったのが大不忠であり、正義だと信じていたのが、大不正義であったのだ。

『大経』には、仏化の及ぶところには「天下和順に、日月清明に、風雨時を以てし、災厲起らず、国豊に民安く、兵戈用ふること無く、徳を崇び仁を興し、務めて礼譲を修す」（島地一—六九、西七三、東七八）とある。これ正しく安穏平和の相である。念仏利益の相である。求めてこれを得られるものでなく、皆我らの宿業依報、天が曇るも地が動くも、火事がおこるも、戦争がおこるも、一切全てが宿業依報の相である。今この経文は、念仏することによって、現わるる依報である。これを現世利益というのである。一人念仏すれば一人安く、一家念仏すればば一家安く、一村念仏すれば一村安く、一国家念仏すれば一国家安しである。

明治政府は正しく万世に不易の礎を開いたかに見えた。しかし不磨の大典大日本帝国憲法は六十年足らずして古典の一となり、明治政府もまた八十年で終わった。我らは明治の初め政府が廃仏毀釈とて仏法を亡ぼして無宗教となし、無宗教をもって誇りとする日本人を作ってしまったことを銘記しなくてはならない。この無宗教の国、したがって迷信の国、したがって虚仮非理のいのりの国、そうしたことがついには、今日の有様を招来した源であったのである。徳川家康は仏教を大切にする人であった。たとえそれが政策であったにしても賢い大政治家である。徳川政治が三百年続いたのを見れば思い半ばに過ぎるものがあろう。
念仏するものは「世のなか安穏なれ」と祈る。

弘法のいのり

第一を平和のいのりというならば、第二の「仏法ひろまれかし」は弘法のいのりである。仏法がひろまってくださることを念ずるのである。蓮如上人は「専修正行の繁昌は遺弟の念力より成ず」といわれた。この念力すなわち今のいのりである。しかし身いやしくも真宗にある僧俗、とくに僧にして仏法の弘通を思わぬ人はないであろう。しかしてなぜに繁昌しないのであろうか。それは、明らかな断案がある。

『蓮如上人御一代記聞書』に蓮師いわく、

「一。前々住上人仰せられ候　『仏法者には法の威力にて成るなり、威力でなくば成るべからず』と仰せられ候　『されば仏法をば学匠・物知は言ひたてず、ただ一文不知の身も信ある人は仏智を加へらるる故に仏力にて候ふ間　人が信をとるなり　此の故に聖教よみとて、併も我はと思はん人の仏法を言ひたてたる事なし』と仰せられ候ふ事に候　『ただ何知らねども信心定得の人は仏より言はせらるる間　人が信をとる』との仰に候」

（島地三〇—三五、西一三〇八、東八九九）

学者・物知りになりても信がなければ人に信をとらすことは出来ない。しかし一文不知の者でも、信ある人は人に信をとらする。それは仏力によるとの仰せである。まことにしかりである。封建性そのものの御大坊の御住職が、一人の念仏行者もつくらない時、真に目覚めた一人の青年は、まず家庭を動かし、部落を感動させ、ひいては一村の青年を率いて起（た）つではないか。信がなければいのりがない。学者にもない、肩書にもない、頭脳にもない。血の中に涙の中に燃える念仏はそのまま「仏法ひろまれ」のいのりである。

このいのり、この念力を通じて、将棋倒しに念仏が弘まる。自力・疑惑・無信によって、この歴史的な将棋倒しを食い止める者は、人を助けず自ら助からぬものである。頭だけでは駄目、学問でも駄目、策略でも駄目、金力も駄目、何年何十年念仏顔していても、その周囲に一人の念仏者も生まれない。何が原因か、心の奥底の未だ法にうるおわない久遠劫来の自力が残っていて、念仏するかに見えても「我は」と思う利己主義が心の主の座にいて、信すなわち真実のいのりを持たないからである。いのりは全我的な炎である。

私のいわゆる「念願は人格を決定す。継続は力なり」の念願とは実に、いのりである。

永遠常住のいのり

人間の煩悩には真実のいのりはない。貪欲（とんよく）のいのりは迷信・邪教を生む。瞋恚（しんに）は、呪いを生んでいのりを生まない。愚痴は何らのいのりを持たない心である。であるから三毒の煩悩からは、順理のいのりは生まれない。ただ仏心より回向の大信心にのみ、本当のいのりがある。

なぜに他力念仏は真実のいのりであるか。それは蓮師のいわゆる「ただ一文不知の身も信ある人は仏智を加へらるる故に仏力にて候ふ間人が信をとるなり」。仏智・仏力によってのみ真のいのりは成り立つのである。人間の心に本当のいのりはない。その本当のいのりのない人間に本当のいのりが成り立つのは、永遠を貫く無量寿仏の本願力によるからである。仏の御いのり、兆載永劫一貫の仏の御いのり、法蔵本願のいのり、この永遠常住のいのり、その常祈禱こそ我らを念仏の行者となしたもうのである。この仏力そのままの信であるが故に、永遠常住のいのりにつながるいのりなるが故に、純化された念仏はそのまま真実のいのりなのである

天親論主の仰せによれば、他力の信心はこれを浄土の菩提心あるいは無上菩提心といわれる。何となれば、信心は「願作仏心」であり、願作仏心はすなわち「度衆生心」であるが故である。我らが念仏における無限の感銘はここにあるのである。「願作仏心」と、我々が念仏に生きさせていただき、私の道を生ききらせていただくままが、自分にかえり、如来に帰して、往相回向の一道を精進させていただくことが、それ自体、「度衆生心」と人を救う道である。自利のまんまが利他、利他のまんまが自利、自利利他一如の道を信と頂いたのが念仏道である。かく自利利他一如の本願力による信なればこそ、清浄といわれ真実といわれるのである。

清浄なるいのり、真実なるいのり、それは如来永遠のいのりである。たとい衆生の念仏は時々のようでも、これはすなわち永遠の祈り、常祈禱である。それ故に末通るのである。結果から割り出した功利的ないのりでなく、必然の自然のいのりである。結果が表れたら信ずる、結果が悪ければ神をも仏をも泥の中に捨てるという、それがすなわち多くの人のいのりである。これが非理のいのりである。そうではない、永遠のいのりである。このいのりは、かくのごとき世界に願入したまま、正しい因が生まれたままで助かるのである。「世のなか安穏なれ、仏法ひろまれ」との聖人の御いのりは、そのまま親様のいのりである。我ら、この如来聖人のいのりをいのりとして生きさせていただかねばならない。それには信の純化が問題であり、またしても「専復専（せんぷせん）」のみ教えに帰ることである。

第二章　愚者のめざめ

常に問題は内にある

如来静寂の光に照らされて　常に新たに問題を内に発見する
「是非知らず邪正（じゃしょう）もわかぬこの身なり」と聖人は仰せられるに
善と悪　邪と正とを人の上に見ることのみに敏感であることよ
しかもこの善悪の裁きに敏感であればあるだけ
虚仮（こけ）顛倒（てんどう）の妄見（もうけん）　角の生えた教えであることに気づかない
問題は常にある
間違った裁きもこれを受け取って念仏すべきである
裁いた者は却って傷つき　裁かれた者は得をする
攻撃するか攻撃されるか
いつの世にも　真実に生きようとする者が　腐ったものから誤解攻撃される
誤解は決して真の恐ろしさではない
問題は永遠に内にある
如来静寂の光　限りなく照破しまたわずば　内に悪魔ついにすがたを現わさず
念仏するも名利の奴（やっこ）となって　無碍の大道を失うであろう

一　孤独の内転

人は誰でも孤独である。

自己の運命を思う時、孤独である。苦悩に出合う時、病む時、死を思う時、すべて孤独である。釈尊もこのさびしさの解決のために、聖人もこの運命の打開のために、道を求めて出られたのであった。

前科何犯のならず者も、人の世の冷たさに泣いた日がある。一切の悪人もこの孤独の淋しさから生まれる。

真実の目覚めはここから生まれる。

淋しさゆえに享楽を追い、外にこれをごまかす対象を求めて走れば、ただ流転がある。魂がしびれて楽天的になるとも、ついには愚痴の二文字でこの世を終わるであろう。常に外に向かって求め、人を責め、世を憤り、自暴自棄に陥れば、天地・人生、何ものも、これに善意と温かさをもって対応してくれるものなく、身を破滅の闇に見出すであろう。

とどまれ！　さびしいか、さびしさに徹せよ。ごまかすことなくさびしさを抱いて、真実の教えを聞け。それでもさびしければ、さらにさびしさに徹せよ。教えを聞きつつ。

真実の教えは必ず、生死を、宿業を、背負いきらせて、これを内転せしめ、大悲摂取の光懐(こうかい)にその全我を託せしめるであろう。

地上の何ものかによって、置き換えることのできる淋しさより、地上の何ものによっても癒すことのできぬ寂しさに徹するとき、人ははじめて、無限なるもの、死なぬものの大慈悲の招喚を聞くであろう。

『歎異抄』にいわく、「回心(えしん)といふことただ一度(ひとたび)あるべし」(島地一三―一〇、西八四八、東六三七)と。この百八十度の転回を、孤独の内転という。

万人を抱く愛の行者はここから生まれる。この人は知らずして、光と温かさと力とを人に与うるがゆえに、聖人はこの人を常行大悲の人と讃えられる。大慈悲はこの人において具体的である。

しかし、かくあらしめたのは全く教主善知識である。であるからそのとき、法然・親鸞両聖のごとく、本願によって必然に結ばれたる人を発見して、長く孤独と別離して、孤独の独は、独立、独自、独一の独と変わるであろう。本願力によるがゆえに、世尊にあっては「天上天下唯我独尊」といい、聖人にあっては南無阿弥陀仏という。行者誤って、「唯我独尊」を独慢と考えてはならない。自尊はそのまま尊他である。

かくして一切衆生の差別せる宿業個性をそのままに、大悲真実の中に摂取して内転せしめて、あるがままをあるがままに生かし切りたもうを、真宗念仏という。

二　正しい人生の領解

我および人生のあるがままの正しい領解（りょうげ）は、念仏道を歩む者にとっては、極めて大切なことである。貪欲（とんよく）・瞋恚（しんに）・愚痴の三毒の煩悩は、生きている限りは無くならない。これを本願の大信海において浄化していただく道はあっても、これを無くすることはできない。無くならないものを無くしようとする愚をくり返して、これを本願の火によって燃やして浄化する道を得ようとはしない。

龍樹（りゅうじゅ）菩薩は『十住毘婆沙論（じゅうじゅうびばしゃろん）』の巻頭において「愚痴無明を大黒闇となす。愛に随（したが）える凡夫、無始よりこのかた常にその中に行じ、かくのごとく生死の大海に往来して、いまだかつて彼岸に至ることを得るものあらず」と言われた。随愛（ずいあい）の凡夫とは我らのことである。愛とは貪（とん）愛（あい）である。貪愛があれば瞋憎（しんぞう）があり、愚痴がある。故に愚痴の無明黒闇の中にある。随愛の凡夫、男女の愛にしても、愛のままに浄化していただく道はあっても、愛をなくする道はない。無いのを無いと知り、有るのを有ると知ることは、真実の智慧である。

真実の智慧はまた一面に、この世において捨てようとすれば捨てることのできるものは何であるかを知らしめると共に、捨てさせてくださる。日の吉凶とか、方角の善し悪しとか、あらゆる迷信的な考え方は、正しい信を得るとともにすたってしまう。捨てることのできるものはこれを捨てずにおき、捨てることのできないものを捨てようと苦しむのが凡夫の迷いである。

「生死の苦海ほとりなし……」

龍樹は「この衆生、生死大海に旋流洄復（せんるえふく）し、業（ごう）に随（したが）って往来（おうらい）す」と言われる。我らはまことに無明生死の大海すなわち苦海にある。右するも苦海、左するも苦海、誰も彼もみな苦海、責める者も苦海、責められる者も苦海、勝っても苦海、負けても苦海、人生ついに苦海、苦海を苦海と知れ、甘い考え方を持ってはならない。苦を逃避しようとしてもできるものではない。逃避しようとすればするだけ二重に苦しまねばならなくなる。合掌念仏のなかに受け取っていよいよ自力無効を知るものは、信心の智慧である。

科学の力で、ある種の自然現象はあらかじめ知ることもできようが、しかし、明日のことが人間の精神力で知れるものではない。しかるに超人間的能力のある人を尊ぶという人間の迷い心が、巷(ちまた)にいろいろな狂信・迷信・邪師・邪教を生む。今や日本には文化の埒(らち)外に属する種々な爾光尊(じこうそん)が現われて、多くの人が迷わされている。だれにも許されない超人間的な予言や霊力を求めることは迷いである。正しい宗教は、万人だれでも真実に教えを聞けば実現される普遍の道以外にはあり得ない。だれにもできないことが、ある人に可能であると聞いて、それにだまされて迷うより、できないと知って正しい教えに生きねばならない。正しい仏教には神秘主義の要素はない。やれ霊界放送だの、病気を治すだの、狐につかれたり、山師に誑(だま)されたりするのは皆、人間の力の限界を知らないからである。だれもかれも皆やがて死んでいく人間なのである。宿業によって流転している凡夫なのである。

自己を罪悪生死の凡夫と知って、念仏申せの仰せのままに念仏する。自力のはからいがなくなれば、限りなく私は私につれかえされる。愚禿(ぐとく)が愚禿と知って大地にひれ伏して念仏せられる。如来の智慧光が念仏のうちに輝いて、いよいよ愚禿を愚禿へとつれかえる。自己が自己になりきって念仏するところに、自力の入る隙はない。自己のあるがままが自己に帰る。帰るまがま大悲光明の摂取のうちに安らがせていただく。

明日の世界はどうなるか、知らない。明日の私はどうなるか、知らない。明日の日本はどうなるか、知らない。過去は絶対にとりかえしがつかず、明日は一切わからない。わかるのはただ念々刻々の現在のみ。この現在こそ宿業転回の現在であり、如来本願力の顕現、願往生の展開していく現在である。永遠の現在、如来の大慈悲・真実・永遠の御いのちは唯（ただ）この現在に注がれてある。

大悲の光懐（こうかい）に安住して、如来の御はからいに全我を托（たく）し、宿業の出ずるがままに受け取って念仏する。そこに限りなき、人生への随順と超越の一体なる願生の道がある。

英雄出（い）でて国を亡ぼし、幾百千万の人を殺し、生き神現われて世の愚者を迷わし、野心家出でて社会を混乱に導き、名利の餓鬼現われて大衆を下敷きにし、貪欲の有財餓鬼（うざいがき）現われて巨万の富を私する。愚者となれ、愚者となれ。静かに念仏して世の一隅を照らす愚者となれ。信ずべきものは唯（ただ）一つあるのみ。聖人常に言わく、「煩悩具足の凡夫・火宅無常の世界は万（よろず）の事みなもてそらごと・たわごと・真実（まこと）あること無きに、ただ念仏のみぞまことにて在（おわ）します」（島地二三―一三、西八五四、東六四〇）。

この仰せのみがたった一つ私を裏切らなかった。あとのことは一世の智者が集まって言うたことでも、何十年信じてきたことでも皆うそであった。

三　因縁

信心は智慧である。

この内に開かれたる智慧の眼は、因縁を照見する。すべてのものは因縁によって生じ、因縁によって滅する。因縁果の規定によらずして存在する何物もない。善因は善縁を引いて善果を生じ、悪因は悪縁によって悪果を招く。したがっていかに善を行じたつもりでも、悪果すなわち苦を招くならば、善ではなくて悪であったのである。凡夫の善悪の諸行は、皆いわゆる有漏煩悩であるから六道生死の苦果を招くのである。

われらは今、生死海にあって苦を受けている。何によって苦果を受けるのであるか。過去世久遠劫来の煩悩の因によるのである。この久遠劫来の流転の真相を信の智慧が見いだしてゆくことを機の深信というのである。この内なるわが相がそのまま外に展開されたものが、今私が住んでいるこの世、すなわち五濁悪世なのである。内に感ずれば煩悩成就のわが身、外に感ずれば五濁悪世、この正報と依報とは、ともにわが久遠劫来の宿業の所感である。六道生死の苦果を招くものである。皆ことごとくわれと無関係のものはない。

何というなつかしいこの世であろう。枯れても破れても、日本に生まれてくるべき因縁によって日本に生まれたのである。私が泣けばすべてが泣く、私が笑えばすべてが笑う。お前が病むから私も病む。私が苦しむからお前も苦しむ。依正一如（えしょういちにょ）、内外相応、具体的生活がそこにある。

仏様のお慈悲がわかるまでは、自分が自分であることがいやだった。自分の身の上を呪い、世の中を呪い、運命を悲しみ、はては自暴自棄に陥り、人生に反逆し、親に反逆し、すべてに反逆するよりほかはなかった。後になってみれば、それは我慢・我欲・名利（みょうり）・煩悩のしわざであった。この世には、楽を求めて来たのでも、名をあげに来たのでもなかった。

静かに見よ。路傍の小草の一本でも、お前のようなだらしのない者がいるか。みんな皆、知られようが知られまいが、みな独一の光を放って精一杯生きているではないか。松は松になるよりほかに道はない。杉は杉になるよりほかに生き方はない。みな必然の道を生きている。それだのに人間たるお前は、お前のだらしなさの責任を他の上になすりつけ、苦悩に沈めば沈むほど世を悲しみ、人を責める。因縁道がわからないからだ。

仏様のお慈悲がわかって、はじめて私は、ほんとうにはじめて私が私を抱く。小さかろうと、愚かだろうと、悪人だろうと、はじめて合掌して私が私を受け取る。私が私を背負って大地に合掌する、天もそのまま、地もそのまま、いっさいすべてそのままになつかしい我とわが身の上、その久遠劫来の我、曠劫より以来常に没し常に流転して、出離の縁あることなき運命そのままを受け取って、大地に合掌する時、私が私を抱いたと思ったままが、親の大慈悲に抱かれ、大慈悲に摂取されていたのであった。

何たる大因縁であろう。大慈悲に摂取されたからこそ、悪人でございました、愚人でありましたと、自己の全存在を背負いつつ、全我を投げ出して大地に手をつくことができたのである。

「たまたま行信を獲ば遠く宿縁を慶べ」（『教行信証』総序）（島地一二一—一、西一三二、東一四九）。宿業に泣いた子が、今、久遠劫来の宿縁をよろこぶ。念仏しつつ因縁をよろこぶ。何たるいい時に生まれたものか。何たるいい所に生まれたものか。それはかかって一人の善知識に遇いえたことである。二十九年孤独の我に泣いた聖人が、吉水の法然上人におあいなされた時、その時、宿業に泣くそのままの上に、久遠劫来のみ光による大因縁がおおいかぶさってきたのであった。み光の大因縁がつつんでしまったのである。

光明（縁）と名号（因）との因縁和合によって大信心が生まれたのである。生まれた信心の子は、名号の父と光明の母とによって育てられてゆく。これを光号両重因縁という。一人の善知識に会うた因縁、必然に迫ってくる教え、信ぜずにはいられない教え、手を大地につかせてしまった教え、ついて念仏させてしまった教え。

『浄土真要鈔』に言わく、

「然れば仏法を聞きて生死を離るべき源はただ善知識なり。このゆゑに『教行証文類』の第六に諸経の文を引きて善知識の徳を挙げられたり　所謂『涅槃経』には『一切梵行の因は善知識なり、一切梵行の因無量なりと雖も善知識を説けば則ちすでに摂在しぬ』といひ『華厳経』には『なんぢ善知識を念ぜよ、我を生ずること父母のごとし、我をやしなふこと乳母の如し、菩提分を増長す』といへり　この故に一度その人に随ひて仏法を行ぜん人はながく其の人をまもりて彼の教を信ずべきなり」（島地二七―二三、西九九四、東七二二）

仏法の有難き因縁は善知識にあうことにはじまる。そして宿業流転の因縁が信仏因縁に包まれてしまった時、因縁に泣いた子は、はじめて因縁を喜ばせていただくことである。そして悲しい過去も、失敗の過去も、苦しみも何もかも、この一大事因縁が生かしてくださるのである。

思うに私は今多くの念仏の御同胞をいただくことができた。もしお念仏の道がなかったならば遠近の多くの御同胞、血よりも濃い血によって結ばれたこの浄華の園を拝むことはできないことであった。しみじみと有難い因縁を感謝せずにはいられない。ただ何事も因縁である。会うも因縁、別れるも因縁、殺し合うような因縁でも仕方がないのに、み仏の大悲真実によって結ばれた因縁を喜ばずにはいられぬ。

かくて因縁道の諦観は不思議に私をしてあるがままの人生に随順させてくださる。しかるに人生に随順し、自己に随順するものは、人生を超越せしめ、自己を超越させてくださる。この自己超越の道こそ、願の道であった。われらの自己超越の唯一の立場こそ如来本願力の道であった。聖人はこれを横超の直道と仰せになった。

自己が自己を超えるとは、自己が自己になりきることである。まことに本願の世界は、自然法爾なる青色青光、黄色黄光、赤色赤光、白色白光の世界である。青黄赤白の個性は宿業の因縁、光は如来の智慧光、この光、個の自力我執を絶対否定して、あるがままの差別因縁を生かしたもうのである。われらは宿業の因縁を背負い、割り切れぬ矛盾をそのままに、大悲本願界に飛び込むのである。信仏因縁こそ人生最後にして最初なる一大事因縁である。一切志願満足の真実経験である。

聖人『御本典』にいわく、「爰に愚禿釈の親鸞　慶ばしき哉や　西蕃・月氏の聖典　東夏・日域の師釈に　遇ひ難くして今遇ふことを得たり　聞き難くして已に聞くことを得たり　真宗の教・行・証を敬信して　特に如来の恩徳の深きことを知んぬ　斯を以て聞く所を慶び、獲る所を嘆ずるなり矣」（島地一二―二、西一三二、東一五〇）と。聞法の因縁を喜びたもうこと絶対である。そこにのみ真宗念仏の世界が開ける。

しかるに多くの老聞法者たちは、一生を聞法に費やしつつ、念仏の間にはただこれ愚痴不平をならべ、わずかに聞き覚えたる法をもって言い訳しつつ、無明闇黒のうちに終わるのはなぜであるか。それはただ、聞法の因縁が久遠劫来の大因縁であることを知らず、曠劫以来はじめての一大事因縁であることを知らぬがためである。宿業の因縁は、たとい金殿玉楼であろうとも苦因に過ぎず、嫁の思うにまかせぬは、おのれの鬼の影と見えず、現実生活においては、大悲の念仏をもって人に接せず、因縁を悲しむ氷の冷たさがその周囲を陰惨なものにしているのがわからないのである。因縁を喜ばぬ人の周囲に何で因縁を喜ぶ人が生まれよう。暗き老念仏者よ。たとい口先でもいい、念仏しつつ「私ほどしあわせ者があるものか」と言ってみるがいい。大聖世尊も無量寿より外(ほか)にあるのではない。われらまた世尊・七高僧と一味平等に名号(みょうごう)をいただいているではないか。因縁を喜べば賤(しず)が伏屋(ふせや)も月円(まど)かに照らして、真実幸福ここにあり、この絶対幸福の人、はじめて真に人生に泣くこともできるであろう。

ああ、因縁の問題の解明、それは人生そのものの解明である。因縁に泣く子よ、正法(しょうぼう)を聞け。

四　智慧

「如来大悲の恩徳は、身を粉にしても報ずべし」。これはお念仏の意である。お念仏は報謝の行であるとは知っているが、はたして報恩行になっているであろうか。頭だけで法を受け取る我々はまことに浅ましい福助である。報恩といってもただ頭の中の宗学であり、観念であって、全我の行ではない。

『末燈鈔（まっとうしょう）』の中にお弟子慶信坊（きょうしんぼう）の聖人への手紙がのっている。

その中に、「仏恩のふかさ・師主の恩徳のうれしさ、報謝のためにただ御名を称ふるばかりにて日の所作とす……わざといかにしても罷（まか）り上りて心しづかにせめては五日御所に候はばやとねがひ候ふなり　噫（ああ）かうまで申し候ふも御恩の力なり」（島地二―一二）とある。全文念仏の香り、報謝の涙にぬれている。

その慶信坊の前に私の浅ましいすがたが照らし出される。念仏は報謝の行と知っているだけ。「身を粉にして骨を砕いて」どこにそんな思いがある。南無阿弥陀仏。頭にはたくさんなものをつめこんで福助になって、現実の生活になると、魚が食いたい、肉が食いたい、着物がほしい、名利がほしい、楽がしたい。浅ましい限りである。ただ観念だけの報恩行である。念仏が報恩行だとは、全我が南無阿弥陀仏に包まれて、身も心も大悲の御恩の中にあって生かされることではあるまいか。

『末燈鈔』を頂くと、法然上人は、いつも「浄土宗の人は愚者になりて往生す」といわれ、一文不知の人が参ったのをご覧じては「往生必定すべし」とて笑ませたもうのを見た。しかし文沙汰して賢そうにする人が参ったのをご覧じては「往生はいかがあらんずらん」と確かに承ったといっておられる。今でもそのとおりであろう。土を相手に生きておられる同胞達、田舎で念仏申しておられる同胞達の間にこそ、美しい妙好人はおられる。往生の一大事を真剣に考えて、身柄全体で聞法されるのもこの人達である。したがって山に野に念仏して、お念仏が全我を動かして報恩行となっているのもこの同胞達である。学問する者は得るところがあるとともに、人間としての尊いものを失うことが多い。学んで愚者になることは難しいことである。愚者になりきらねば、お念仏は身心の生きた事実にはならない。

『浄土真要鈔』の中に聖人のお徳を讃えたところがある。

その中に「其の利益の盛なること田舎・辺鄙に及べり　化導の遠く普きは智慧の広きが致す

ところなり」（島地二七―六、西九六五、東七〇二）とある。聖人の御化導が盛んであり、遠く末代におよび、広く普くどんな衆生の上にも及ぶのは、智慧が広いからであるといわれるのである。まことに聖人が学者であったからではなくて、智慧が広いからである。この智慧とは仏智である。人間の智慧才覚くらいは知れたものである。聖人の偉大は仏智そのままのお念仏にある。愚禿と名告って一切の殻を破り、素っ裸の人間となって仏智虚空界に出ておられるからである。その御己証は地獄一定の愚禿であっても、愚禿の上に生きたもう仏智は広大である。その広大なる仏智そのままのお念仏である。「化導の遠く普きは智慧の広きが致すところなり」。一切衆生さえ包む仏智である。まして身も心も仏智のほかにあろうか。一切衆生を包む仏智が私一人を摂取してくださる。

仏教インテリはあわれである。おもちゃの本願や、おもちゃの弘誓の船、おもちゃの大行の汽車を、名利のために持って走る。「のせてかならずわたしける」とはおよそ違っている。常にお聖教を手にし、法門を学ぶことに一生を費やした私は、沈痛なる内観へと連れこまれる。そしてまたしてもまたしても心引かれるのは、あの唯念仏して生きたもう同胞である。毎日のごとく、たどたどしい同胞のお便りが私を泣かせる。

念仏の同胞のいない酒の座などで、仏法の話を出すことは智慧のない話である。

同胞の集まりに一口の御讃嘆（さんだん）の言葉も出ないのは智慧のない話である。念仏を聞かぬ人は、念仏の話をすると嫌うけれども、念仏から出る謙虚さや温かさや、徳の光を嫌う人はない。話を出さずに徳を出せ。

「京をあじよう歓喜心（今日を味わふ……）
なむあみだぶつのなせるしんじん
なむあみだぶつ。
凡夫で聞くじやない、一凡夫はばけもの
あなたわたしのこころにあたる。
わしが阿弥陀になるじやない
阿弥陀の方からわしになる
なむあみだぶつ。
世界もぐちで、わたしもぐちで、あみだもぐちでどうでもたすけるぐちのおやさま
なむあみだぶつ」

これは石州（せきしゅう）（島根県）の妙好人才市（さいち）同行の歌である。

何という高くも美しい智慧の調べであろう。「弥陀の五劫思惟の願をよくよく案ずればひとえに親鸞一人が為なりけり」、聖人と信心を一つにする。学識にかけては、「京」と「今日」がわからなくても、仏凡一体の智慧の妙境、全我なむあみだ仏の一丸、驚くべし、驚くべし。

困った人は、今までが悪かった人ではない。教えの響かない人である。

信用のできる人とは、今までが善良であったという人ではない。今日教えが響いて全我が教法のごとく動く人である。

智慧は教えから生まれる。如来本願の智慧は教えによって転回する心身の上に顕れる。智慧は全我的なものである。

一口ものをいえば正体が露れる。一つ動けば偽らざる相が見える。飾ってもつくろっても、真似のできぬが信心の光である。肩の先に憍慢が見え、鼻の先に邪見が表れ、わけて目の中からは腹の底の悪心が現われている。しかしもしその邪見憍慢悪衆生を見せていただいて、私のすべてが悪業煩悩のかたまりであることがわかって、しかもその底に安らぎを得、念仏申させていただくならば、外からは悪が見えずに仏智が光ってみえるであろう。賢い思い、善人意識、仏智を頂いて追い出せ追い出せ。「浄土宗の人は愚者になりて往生す」。鼻もちならぬ悪臭は、善人から出る、賢い人から出る。智慧は愚者の上に光る。

五　大地に頭を下げて念仏申せ

雨後のたけのこのように

いかに宗教の自由とはいえ、雨後のたけのこのように迷信・邪教が天下に大手をひろげてはびこっている。日本の大衆を宗教の面から見た時、まことに寒心に堪えぬものがある。しかしこの亡国の相も、文化の低さ加減が現われたものなのでどうすることも出来ぬ。

悪逆無道

土蔵破りの賊が衣類を皆盗んでいった。しかし「盗人を捕らえてみればわが子なり」。保有米を知らぬ間に全部持ち出して女にみつぎ、親の衣類を一枚残さず流してしまって、家を出たまま帰らぬ息子もいる。物を盗まれるくらいはまだいい、油断すれば、いつ寝首をかかれるか分からない。サルトルの実存主義をはき違えて、子供を妻にたたきつけて、しゃあしゃあと恋人と行き、いわくこれが新しい倫理。

悪逆無道一世を風靡（ふうび）するのも、これをどうすることも出来ない。亡国の山野をながめて、大和（やまと）民族とはこれほど情けない民族であったのであるかと嘆息するのは、わが国の人皆（みんな）であろう。

真宗念仏

国家の権力で治められていたものが、言いかえると外からの力で規制されていたものが、急に外からの力で圧迫されない、いわゆる自由の天地に投げ出されたのである。主権在民と、国家の主権も我らの手にある。家には戸主が無くなった。何を言おうと、何を信じようと、何を行おうと勝手である。それはしかし人間の非常な幸福であり進歩であった。

しかし、かくのごとく、外からの一切の規制が取り除かれたということは、外からの束縛や桎梏（かせぎ）の代わりに、内的自覚、内からの人格的統一の力によって、内からの倫理的規範、乃至（ないし）宗教的自覚によって生きよ、ということではないか。でないならば虎狼（ころう）を街に放ったような混乱がおこるのは当然である。そうして今は全くその恐るべき相なのである。恐るべき何ものも持たない。ただあるものは動物本能、五欲の享楽、世は滔々（とうとう）として無明の濁流に流されてゆく。

しかるに眼を一転すれば、今、現に、真宗念仏があってこの中に光っている。これはまたなんという有難いことであろう。真宗念仏のごときは、何も知らない田舎の爺婆（じじばば）のものくらいにしか考えられなかったものが、ようやくにして青年のものとなり、インテリのものとなって、聖人の信の自覚はおおよそ人類自覚史上最深のものであり、民族文化史上の富士の山であることがわかってきたのは嬉しいことである。

終戦後、真宗にコビリついた封建性の垢(あか)は自ら落とされ、純正なる本願の宗教、浄土真宗の相が、大衆の心に生き始めたことは嬉しいことである。

真宗念仏の生命であるところの他力本願、この聖語ほど間違えられているものはない。今はこれを取り上げている暇はないが、しかし、他力本願とは金剛の真心(しんしん)を獲得(ぎゃくとく)することである。相対有限なる罪の子が、正しい生き方を求めて求めきった最後に、悩みと罪業とを背負って、罪悪の自覚を踏み台として、無限絶対なる仏の大慈悲真実の中に飛躍し、摂取せられて、善悪を超え、自己を超えて至上善に生かされ、かえって人生の現実に無限に随順して、金剛の真心を生きる。これは決して相対の他力ではない。絶対他力である。有限者と有限者との間の交渉ではなくて、有限と無限との交渉である。依頼心の増長ではなくて、独立の宣言である。内と外との何ものにも動かされず、自由なる選択における最後の決断である。人間としての我(われ)の主体性の根本的な確立である。これはまた人間性の一切を照破しつくしての信の自覚、動物的本能、倫理的自我を貫いての宗教的自覚である。これを悪人正機の世界といい、本願の宗教といい、真宗念仏というのである。

我らは、この濁悪(じょくあく)乱動の世に、独(ひと)り真宗念仏があって、外の一切の規範を取り除かれてもますますこの真宗念仏によって人格の内面的統一、人格の自主性発揮の機会が訪れたことを喜ぶのである。

たとい一時の混乱があろうとも、外的な圧迫を取り去られねばならぬ。そして真の内面的統一によって生き得る宗教的・人格的自覚を成就しなければならない。

およそ世に不正がはびこり、逆悪不善が行じられるのを見たならば、これを悲憤慷慨(ひふんこうがい)せぬ者はないであろう。

それは人間が倫理的なものであり、社会的な存在である限り、誠に当然なことである。特に民主主義的に開放された社会では、不正は正されねばならぬ、社会悪の根源は容赦なく取り除かれねばならぬ。しかし、その倫理的善悪の裁きだけで私の問題は解決されるであろうか。善悪の裁きをしている自己そのもの、それを棚の上にあげて、独り清しとする、その独善的な態度の中核にひそむ自我の妄執(もうしゅう)、この我執(がしゅう)こそ人類を毒する最大の敵ではないか。高く自らとまり、火になって憤(いきどお)っているままが、社会を暗くし、家庭を陰惨にし、人を虐げて権力的となる。であるから、ただの悲憤慷慨からは、本当のものは生まれない。まして人間には、ものの判断に私情を入れ、また身に寸徳(すんとく)なくして他を裁き得るが故に、その善悪の心の上にさらに鋭い光を受け取らねばならない。

ここに親鸞聖人の念仏の世界がある。

『歎異抄』にいわく、

「まことに如来の御恩といふことをば沙汰なくして我も人も善悪（よしあし）といふことをのみ申しあへり。聖人の仰には『善悪の二つ総じてもて存知せざるなり　その故は、如来の御心に善しと思召すほどに知り徹したらばこそ善きを知りたるにてもあらめ、如来の悪しと思召す程に知り徹したらばこそ悪しさを知りたるにてもあらめど、煩悩具足の凡夫・火宅無常の世界は万（よろず）の事みなもてそらごと・たわごと・真実（まこと）あること無きに、ただ念仏のみぞまことにて在（おわ）します』とこそ仰（おおせ）は候ひしか」（島地二三―一三、西八五三、東五一一）と。

煩悩具足の凡夫が善といっても間違っている。悪と見ても間違っている。それであるのに我々は、朝から晩まで善悪ばかり言っている。人間の理性は曇っている。如来の智慧光に照らされて、善悪の心の底にひそむ我執が絶対否定されぬ限り、「念仏のみぞまことにて在します」とはわからない。

「よしあしの文字をもしらぬひとはみな　まことのこころなりけるを
善悪の字しりがほに　おほそらごとのかたちなり」

「是非しらず　邪正もわかぬこの身なり
小慈小悲もなけれども　名利に人師をこのむなり」

とは聖人の血涙をしぼっての悲歎であり懺悔である。

念仏を抜きにしての徒なる悲憤慷慨が、いかに悲惨なる高上がりであるか知るべきである。五濁の中に真実なる我を発見し、五体投地して念仏すべきである。

（島地一一一―四二、西九六五、東六二二）

一切は念仏のたね

一度念仏の身となり、また多くの同行善知識を見出し、お念仏の尊いことが具体的にわかってくると、一切の人は、念仏の尊さを表から正顕するか、裏から反顕するか、いずれにしても念仏道を顕示していることがわかる。かつては一家の中が修羅道のごとく、互いに呪いのろわれて、無明の闇の中に裁きあい傷つけあっていたものが、一人念仏し二人念仏している間に、一家全員念仏になって、今は親子・夫婦・兄弟が皆とけあい、夕食後にはなごやかな空気の中で御法御讃嘆の花が咲く、こうした事実は今具体的に拝まされている。この一家の以前の相は「念仏のない正法の生きたまわぬ世界は、このとおり」と念仏の尊いことを反顕し、今のこの家庭は、直ちに念仏の尊さを正顕しているのである。念仏の子にとっては一切は念仏のたねである。

命がけで正法を聞け

世にも尊きものは如来の実在を身をもって証明する人である。この人を『観経』には、「分陀利華」と「大白蓮華」に喩え、善導大師は、「希有人・最勝人・妙好人・好人・上上人、真の仏弟子である」と讃えられた。

この念仏道の立証者は、いかにして生まれるのであるか、いうまでもなく、不退に精進して「聞其名号信心歓喜」と正法を真剣に聞きぬいた人である。ただ、御法を聞くこと。「たとい三千大千世界にみてらん火をもすぎゆきて仏のみ名」を聞いた人である。妙好人たちの過去にはまことに血のにじむ精進があった。聞くこと、求めること、信じきれるまで求めること、絶対他力がわかるまで精進すること。自分の手柄にしたい間は、道がまだ得られない証拠、身についたら御恩だけが残る。

聞くこと、求めること、信ずること、それは衆生の領域である。これを十八願界という。道を得、念仏を称えてその先がどうなるか、それは仏の領域、私の知ったことではない。これが即ち仏の十一願の世界である。それをあべこべに、結果から割り出して、「極楽参りをするには」と手を出して「信心の因がいる」と功利的になったら、因果顛倒しているから、自力の雲が晴れぬから、仏の光の邪魔をするから、一生寺参りしたとて、念仏の光を正顕する人にはなれない。せいぜい仏法の物知りが出来るくらいである。しかし、こうして人は一生聞いたようでも、命がけの精進はない。したがって、心の奥底の疑いはとれない。若存若亡(にゃくぞんにゃくもう)で、聞いて涙のこぼれた時だけのことで一生をおわる。

同じ聞くなら、「それほど時間と金とを使って出て行かなくても信は得られる」等、悪魔悪知識の声を断乎しりぞけて、聞いて聞いて聞きぬけ。

近い内に日は暮れる。

人間は何のために生まれたのか。人より教えを引けば禽獣(きんじゅう)、禽獣よりも浅ましい。かるがゆえに、大聖言わく「大命将(だいみょうまさ)に終わらんとして悔懼(けく)交(こもごも)至る」と。

善人も悪人も、男も女も、老いも若きも、ただ命をかけて正法を聞け。而(しこう)して、頭を大地に下げて念仏申せ。

苦もまた結構

五濁悪世とは、大聖のかねて説きおきたもうたところである。今さら驚くには当たらない。大臣でも博士でも百姓でも商人でも皆同じ大地の上の人間である。念仏が無ければ、何たる様でも現わしてくる。それらを見て裁き悲憤(ひふん)することなら誰でも出来る。

濁世(じょくせ)の時に生まれたものは、時が悪ければ、その中に住むものの機もまた悪い。故に道綽(どうしゃく)

は、時を末法濁世と決し、機を一生造悪と定められた。この五濁を内に凝視内観して、悪人凡夫と深信し、闇の深さはそのまま光の深さであり、煩悩無底なるが故に大悲無底を知る。闇無限なるが故に光もまた無限。罪業（ざいごう）の重きにつけて願力の重きを知り、生死大海の波高きが故に弘誓（ぐぜい）大船の金剛不壊（ふえ）を知る。それが即ち如来回向の智慧である。

　かくして智慧の念仏は、いかに内と外とに五濁の闇が深かろうとも、それには障（さ）えられず、否（いな）、かえって罪悪生死の苦悩が深ければ深いだけ、いよいよ明らかに信証せられるものである。もし倫理だけであり、また倫理的宗教すなわち聖道門（しょうどうもん）的であるならば、またしてもまたしても煩悩の波に洗い流されて、金剛の信心に住することは出来ないであろう。

　平和な時には何も生まれない。国乱れ、天災・地変おこり、苦悩多き日に真実なる人は生まれる。苦悩に泣く日、その本人にとっては何が何やらわからず、無意味なる苦に、無価値な悩みに我一人泣く気がするであろう。しかし、その人こそ今、自己の真相に、人間本来の赤裸々な姿に立ち返っているのである。種類のいかんを問わず、苦悩は人を本来の姿に近づける。我は「死への存在」である。しかるに健康のために、世のものにまぎれるが故、自己自身を忘れて生きることを、キェルケゴールは放心といい、ハイデッガーは頽廃（くずれすたれる）といった。しかも我らは、この放心や頽廃という自己を失った相を「幸福」と名づけている。幸福とは哀れなる無自覚のことである。

人間が死を思う時、最大不安が訪れる。それは一切の無を知るからだ。苦悩にあう、自己の無価値と無力を知る。しかもそれが我の本来の姿なのである。我々は浮かれ浮かれて、死を忘れ、無価値を忘れて生きている。自ら強者をもって任じ、智者を誇り、威勢を行じているがごときは実に、乱心・放心・頽廃・無道沙汰の限りである。終戦前のあの意気揚々たる高上がりは今にしてお恥ずかしい限りではなかったか。

五濁悪世の重なりおこる苦悩が、我を我本来の相に呼びさまして、不安・動揺・憂慮・恐怖の生死海たるを知らしめ、それによって真実道を見出さねば生きられない、念仏道を得なければ生きられないということが知られるならば、五濁悪世もまた結構である。苦悩もまた有難いではないか。

「人は死ぬる」。これは医師が一番よく知っている。それなら医者は皆宗教を求めるか、哲人であるか。ほとんどが求めないのは、「人は死ぬる」であって「我は死ぬる」でないからである。生を見ず死を見ず、生まれもしない死にもしない、我の真相から目をそらし、人生そのものから逃避しているのである。世の常識者流は、宗教をもって人生からの逃避という。しかるに宗教より言わば、死を考えず宗教を求めない人を、自己および人生からの逃避者という。

死ぬるのは私一人である。

必堕無間(ひつだむけん)の悪人は私一人である。

永劫(ようごう)流転するのは私一人である。

したがって弥陀の大悲は私一人がためである。

死は一呼吸の前にある。噫(ああ)。死。死の前に何の問題があるであろうか。死の前に何が一体価値を持つであろうか。死の前に光るものは何であるか、死の前に亡ばざるものは何であるか。命がけの精進が聞法がここから始まる。南無阿弥陀仏は、死の前に輝くたった一つの光である。死の前に何らの力も安らぎもない私に、安らぎと力を与えてくださる唯一の力である。

「青年よ、君の生活に休止符を打て、而して方向転換を行え」。

懸命になって正法を聞け、必ず正法は眠れる我を呼びさまして、久遠のみ親の招喚(しょうかん)を聞かしめ、徹底的な方向転換を与えてくださるであろう。その時、生―死する有限相対なる我は、そのまま南無阿弥陀仏に摂取せられて不滅の領域に呼吸せしめられ、金剛不壊の本願の大信に生かされるであろう。

かくて我々は大地にひれ伏して念仏申させていただく。それのみが私に与えられた、たった一つの道である。

滔々(とうとう)たる濁流の中に、眼を外に奪われて、今日を浮かれ歩き、名利(みょうり)・貪欲(とんよく)のみに自己を失って真実教を聞かず、あるいは押し寄せる苦悩にただ押し流されて愚痴に終われば、人生は終(つい)に無意味におわるであろう。

龍樹和讃(りゅうじゅわさん)にいわく、

「不退のくらゐすみやかに　えんとおもはんひとはみな
　恭敬の心に執持して　弥陀の名号称すべし」（島地一一―一二三、西五七九、東四九〇）と。

頭を大地に下げて念仏申せ。

その時、汝は一切群生の代表者として、その荷負(かぶ)する苦悩は歴史的意義において汝を生かすであろう。頭を下げるとは、我(われ)本来の相を知ること、「無有出離之縁(むうしゅつりのえん)」の具体相、無限なる随順の象徴、頭が下がらねば一切はついに観念におわるであろう。

第三章　念仏者は無碍の一道なり

夜来の雨上がって東雲（しののめ）の空　横雲金色に輝いて動かず
群星の光　紺碧の空に消える処（ところ）
日輪　まさに出でんとして　金箭（きんせん）　雲を貫いて走る
荘厳なるかな　清浄なるかな　偉大なるかな
そもそもこれはこれ　何の象徴なるか　この旦（あした）
我は今明けゆく空に向かって合掌念仏して立つよ
「専（もっぱ）らにして復（また）専らなれ……念仏者は無碍の一道なり」
天地もまたこの荘厳相を顕現して　正法を証誠（しょうじょう）したもうか
やがて太陽東天に昇りて　紫金色の色は消え
我もまた美しき感傷の夢よりさめて現実にかえる
本願一実の大道　念仏易行の白道　希有最勝の直道
雨降らば降れ　風吹かば吹け
外に八万四千の無明動乱　内に八万四千の煩悩業苦うずまくとも
金剛不壊の本願力に乗托して　正法に終始せん
「念仏者は無碍の一道なり」　祖聖の大宣言の真実なるかな（正月二日）

一　生死の苦海

「生死の苦海ほとりなし」とは、龍樹和讃の一句である。

この人生は生死の海である。そして生死するがゆえに、横にも竪にも、はてしなく苦海である。いつでもどこでも苦海である。

現象界は一面は助け合う共同体であり、一面は永遠の闘争であり、弱肉強食である。それゆえに一切衆生海は苦海である。

「宗教のいらない社会を造ればいいではないか！」

ラジオから景気のいい声が聞こえる。だが、死を見つめて生きている者に、その声が何と聞こえるであろうか。それは一つのたわごとに過ぎない。宗教をいらないものにしようとするならば、我より死を取り去っていただきたい。それだけが人間にとって不可能である。死が無くなれば人間、ほとんどの問題は無くなるのではないか。

「死なんか問題にする者は、問題にならないあほうだ」

いくら何といわれても、私には死が来る。そしてそれが私のすべての問題である。馬鹿でも、あほうでも致し方がない。何といわれても弁解のことばがない。この死の前にはすべてが「無」であることに覚めたものに宗教がある。

「宗教のいらない社会をつくる」、そんな声は、熱い声、力強い声ではあるが、高上がりした人間の、およそ私には縁遠い、狂信の声としか受け取れない。死はしかし、私の問題であるだけでなく、万人の問題であるかもしれぬ。

如来真実の教法は、我を「無の死」から救い、無の自覚において、光と力と喜びを与えて生老病死を超えしめ、死の前にも揺るぎなき、大願の船に乗托せしめて、人生の価値を転換し、無限の苦悩に随順せしめつつ、宿業のすべてを、そのままに生かし、法界自然の大道に直入せしめて、我をして任運無作の法楽楽に、寂静湛然、不可思議の喜びに安住せしめたもうではないか。

「生死の苦海ほとりなし　ひさしくしづめるわれらをば
弥陀弘誓のふねのみぞ　のせて必ずわたしける」（龍樹和讃）
（島地一一—二四、西五七九、東四九〇）

死の床にもなお、一貫の願を失わしめず、破滅なく、自暴自棄なく、呪詛なく、不平なく、不満なく、恐怖なく、不安なく、三毒煩悩は持ちながら障げられず、八万四千の妄念は起これども妨げられず、報恩謝徳の大行に永遠の今を安住せしめたもうではないか。

静かに正法によって苦に徹し、愚悪に徹して「無有出離之縁」と合掌すれば、身は本願大悲真実の大船上にあるを知るであろう。

誤って小我の抜き手を切って大苦海に出でてはならない。生―死するものよ。

二　一道に生きよ

ぶつぶつ朝から晩まで思うこと、つまらないことばかり、しかしその中にお念仏が出てくださる。お念仏申しつつ思うたことを書きつけてみる。それが難思録である。

「近頃は誰も彼も、人を批判し、非難も攻撃もすることが上手で、自分を省みる人は少なくなり、そのくせ困った困ったとため息ばかりついています」とは、ある教育家の手紙の一節である。人の悪やあらを見つけて言うことは何の用意がなくともできる。しかし自己を知ることは教えの智慧に照らされないとできない。今の日本の国難・苦しみを皆集めて造ったほどの大きな鍬で、己を掘り下げて、その底の流れから出る言葉でないと日本は救われないであろう。昭和の精神革命は難しい。外への力の推進では成就しないから。

宗教のない人にそれは無理はない。御法を聞いてすら「『我はわろき』と思ふ者一人としてもあるべからず。これ併しながら聖人の御罰を蒙りたるすがたなり」（『蓮如上人御一代記聞書』）（島地三〇―一〇、西一二五〇、東八六六）。自己の罪悪のすがたは見えない。見えない心の中からまたしても「自己肯定」の我が、頭をもたげて人を見下げる。

一口ものを言う。一つの行動をおこす。その底には、必ずその一言一行のよって立つ場所がある。人と人とが同一になれないのは、場所と場所とが同一でないのだ。

生死の苦海ほとりなく、独生・独死・独去・独来とぼとぼと、死出の山路、三途の川に向かうがごとく、たった一人、家に妻子はあれど兄弟はあれど、無いのがましの喧嘩だらだら。たった一人と愚痴をこぼす。十人十色の場所に立って、十人十色のことを言う。一つになれたらなれた方が違う。

「同一念仏　無別道故（同一に念仏して、別の道無きが故に）」（『浄土論註』）。「念仏成仏　是真宗」、その念仏とはこの同一念仏である。あなたの念仏も本願海から生まれ、私の念仏も、本願海から出てくださる。私が称えて私にあらず、あなたが申してあなたにあらず、「真に考えるとは場所が考えること、真に語るとは、場所に入るやりかたである」とは哲学の先生の言うこと。そんなこと分かりきったことだよ。

「念仏は行者のために非行非善なり」とは七百年昔に教えられたこと。私が念仏して浄土や仏に向かって宛がうのではない。如来から浄土から行ぜられて行ずるのだ。綿入れを脱いだのは私だが、それはそのまま夏が脱いだのだ。それでなかったら嘘ものだ。私が自力の着物を脱ぐのがそのまま大慈悲。私が憶念するのがそのまま大悲の憶念。私が行ずるのも思うのも、そのまま功徳大宝海という親の仕事。微塵も自分のものがないのが真の念仏である。

私の念によって生きていても、私の念によって生活が成り立つのではない。念ぜられていることを受け取ることによって、念仏生活は成り立つのである。仏を見ることは、仏に見られていることを受け入れることである。それ故に念仏とは仏念である。

神々といいながら神の心を受け入れようとはせず、人間の心に人間の行動に、神を引き入れようとしたのが大間違いの根本だった。右手に神をつかんで高く掲げながら、自分もまた高上がりしたことに、大間違いの根本がある。神の意なんかどうでもよかったのだ。その証拠には、今日になると神も仏もあるものかと言っているではないか。

ひれ伏して教えを聞くとき、全我の上に感ぜられてくるものが大慈悲の仏心である。

何という民族の狂態ぞ、餓鬼道だ、畜生道だ。これほど情けない民族だったのか。自由といえばわがまま勝手となり、平等といえば道を無視する。個の尊厳、人格の光、内に重点がなくて、光がなく、道がなく、自覚がなくて何の自由であるか、解放であるか。

宗教だ、宗教だ。根本的に宗教だ。見えないものに見られていることを感得して、独座に襟を正す。我、生きるに非ず、如来、我にあって生かしたもう。蓮師は、御冥見を恐れよ、恥じよ、喜べよといわれた。不滅の聖火を内に点ぜよ。信だ、光だ、喜びだ。ひれ伏すことだ。闇のまっただ中に合掌して一道に生きよ。

「念仏ひとつ　遠つ仏祖ゆ　うけつぎて　道一すじに　生きんとぞおもう」

三　無碍道

「念仏者は無碍の一道なり　そのいはれいかんとならば、信心の行者には天神地祇も敬伏し、魔界外道も障碍することなし　罪悪も業報を感ずることあたはず、諸善も及ぶことなき故なりと、云々」

（島地二三一―三、西八三六、東六二九）

これは『歎異抄』第七章の御文である。七章に出ているけれども、これは一章から十章までのいわゆる顕正の部にあることであるから、真宗念仏の内的光景およびその外的生活の真相を示されたところの、まことに大切なる大文字である。

『歎異抄』の骨目は何か。いわく、本願の宗教の開顕、いわく二種深信。それに違いない。かかる本願真実の宗教を徹底的に体験的に表現せられたこの『歎異抄』に、もしこの七章を欠いたならばどうであろうか。特に破邪編に至ると、宿業の問題が取り扱われていて、我ら衆生の生活は、善悪の一切が、徹頭徹尾宿業を出ない。「兎毛・羊毛の端にゐる塵ばかりも造る罪の宿業にあらずといふことなし」（島地二三―七、西八四二、東六三三）とまで説かれてある。もしこれを念仏もなくただ観念的にとったならばどうであろうか。あるいは宿作外道とあやまり、あるいは安価なあきらめ気安めと誤解するものがあるかもしれない。しかるにかかる宿業の諦観も、信心の智慧によって自証・内観せられるものであって、それによって、「念仏者は無碍の一道なり……罪悪も業報を感ずることあたわず」と、宿業を感ずることによって宿業の束縛より絶対自由無碍の虚空界に超越せしめられることを知らしめたもうのが、この章である。我らもしこの無碍道の一章を頂くことができなかったならば、恐らくは、本願の宗教の真意を失い、聖人の念仏の御真意を窺い知ることはできなかったであろう。

人生は苦悩そのものである。有碍の血みどろの中に生きていかなくてはならない。一山越せばまた一坂、火の河の次には水の河。「三界無安　猶如火宅」、善人も苦しみ、悪人も悩む。真面目に生きる者も悩み、不真面目なものも苦しむ。生死の苦海とはまことによくいわれたものである。会えば怨憎会苦、別れて愛別離苦、父は子のために泣き、子は父のために怒る。兄は弟を裁き、妹は姉を罵る。嫁は姑を葬り、姑は嫁を悪む。有碍なるかな、有碍なるかな、この世。しかるに一切衆生はこの中にあって、ただ運命の相殺、永遠の闘争に理論づけまでして、無明流転を続けていく。この中において久遠の真実を尋ね、永遠の光明を求めて、解脱の道に生きんとせられたところの聖賢により、その伝承の歴史的事実として、ついにわが聖人によって「念仏者は無碍の一道なり」と、横超の直道は我らの前に顕示せられたのである。この易行にして最勝なる念仏道こそ、我らの生きて往くことのできる唯一の白道である。

親鸞聖人は、観念的にものを仰せにならない。全身全霊をもって法を体解し、人生を具体的に受け取ってその具体的な自証の声としてお聖教をお残しくださったのである。人生の苦悩が血と涙の中に地獄一定と言わしめ、愚禿と名乗らせたのである。そしてそこまで手の届いた教法が本願の真宗であったのである。かかる天地において開いたのが、無碍道としての念仏道であったのである。信心すなわち無碍道である。他力本願の宗教は、ついに有碍の人生にこの無碍道を展開してくださる唯一の真実であった。

善導大師は、二河の譬えにおいて、浄土への白道を水火二河の間に開かれた。この白道こそ、今の無碍の一道でなくてはならない。しかるに我ら凡夫は、一切の判断を貪欲におき、五欲の満足する日に笑い、五欲の満たされざる日に瞋憎する。この貪愛・瞋憎のみに終始してこの世を過ごすのである。つまり順境を求めて逆境を厭う、そのままが有碍の血みどろである。決して貪欲の満足が無碍道ではない。無碍道は、順境にも非ず、逆境にも非ず、実にその中間に開ける白道である。

白道とは何であるか。「清浄願往生心」である。行者の願往生心である。願往生の白道とはその体は何であるか。南無阿弥陀仏である。白道とは南無阿弥陀仏である。「南無は願なり。阿弥陀仏は行なり」、願行具足の名号すなわち白道、その南無が、「清浄願往生心」、すなわち大行・弘誓大船に乗托せる心である。この心よりほかに無碍道はないのである。

まことにこの貪瞋二河の間に発起する願心のみが唯一の自己超越の立場である。「仁者但決定して此の道を尋ねて行け、必ず死の難無けん、若し住らば即ち死せん」（島地一二一—六三、西二二四、東二二〇）との善知識の発遣のままに、道を尋ねて直ちに進む、かかる行者には死はないのである。願往生心こそ、横超の直道である。この願往生心のみが一切を超えて無碍道を行くのである。他力の信心は、この願生道において金剛なのである。かくして無碍の白道も東岸発遣の教えによって生まれるのであるから、無碍道を獲(え)んとする者は、あくまで教法に忠実に順(したが)わなくてはならない。道は真実の教えを聞くことによってのみ開ける。

我(が)の強い人は、我をあくまで通して、そこに生き甲斐を感じようとする。しかし我(が)を通して思うさまに振る舞っても、それは無碍道ではない。我によって虐げられた人々は皆泣いている。そしてその怨みはその身に返ってきて、荒涼寂漠を感じないではいられぬであろう。これに対して『蓮如上人御一代記聞書』には、「一。『総体人には劣るまじきと思ふ心あり、此の心にて世間には物を為習(しなら)ふなり　仏法には無我にて候ふ上は人に負けて信をとるべきなり　理を見て情を折るこそ仏の御慈悲よ』と仰せられ候」（島地三〇—二三、西一二八二、東八八三）とある。仏法は無我である。我を突張らないで、無我に信に生きる、道理とわかれば我の情を折らせていただくことこそ仏の御慈悲であるといわれるのである。我の行く道は険しい。人を苦しめ自ら苦しむ、有碍の黒闇である。無碍道は無我の世界に開けるのである。

世間通俗の世界では、性格のおとなしい人は善い人だとする。しかし羊のような弱い善人もまた当てになるものではない。弱い人は強い人に食われて、その心中、愚痴を出ることはできない。またさるべき縁になられたら、弱いがゆえに大罪悪を犯すかも知れない。弱い善人もまた険しい道を行かねばならない。

真の無碍道は、強弱を超えて開くのである。強いからとて無碍道だと思ってはならない。弱いからとて無碍道が拒まれていると思ってはならない。道は強弱を超えて開くのである。

世には世渡り上手な人があり、また下手な人がある。弁舌のよい小才のたけた人は、世にもてはやされ、いかにも無碍道を行くがごとくである。しかしそれは決して本当の道ではない。道心の中に衣食ありといわれるが、衣食の中に道心ありとはいわれない。宗教家があまりに上手であるのは危険なことである。仏徳が現われたのか、その人の上手が出ているのか、初めは見さかいがつかない。しかし、手練手管（てれんてくだ）の上手は美しく末通るものではない。上手に渡る者は、必ず壁に向かって合掌しないで問題を逃避する。正しいとならば荊（いばら）の道をも行き、真実とならば万人の嘲笑をも意とせず一貫しようとする、信念がない。常に世俗の評判・称讃を気にし、名利（みょうり）の成就のみを気にする。妥協を事とし、問題や苦難を逃避するがゆえに、その生き方は抽象的であって、誰をも動かす力を持たない。上手な世渡りをする人は打算的であって節を守らない。初め正法（しょうぼう）に忠実に見えても、それによる利益（りやく）ようやく身をつつむに至れば、本末顛倒してご利益のぬるま湯にひたって、聞法精進の火をたくことを忘れ、名利を追うて横に歩み、如来招喚のままに生きぬかないで、やがて如来聖人およびその教法さえも尻の下に敷いて、その恩徳を私して天魔破旬（てんまはじゅん）の子となる。まことに恐るべきは、知らずして人間の小才に誇る自己肯定の心である。恐るべきは自力の心、名利を追うて横にそれることである。いかに俗衆にもてはやされて坦々（たんたん）たる大道をいくがごときも、無碍道ではない。

もし仏の正道を尋道直進すれば、迫害・非難に会うかも知れない。しかしそれを貫けばやがて敵は沈黙するであろう。さらに一貫相続して節を曲げなければ、ついに敵の讃嘆する人となるであろう。


念仏してさらに正法に聞け、常に正法に忠実に随順せよ、如来招喚の聞こえたもうところ、無碍道を信証するであろう。無碍道すなわち金剛心、この心すなわち如来本願力の顕現・回向にほかならない。如来の智慧真実にほかならない。

（昭和二十四年元旦に当たって、特にこの無碍道について頂き、本年の精進目標とす。御同胞各位とともに念仏して、無碍道の往生人となろう。）

四　要道不煩

見ることも聞くことも痛ましいことばかり、大きなことも小さいことも、どうにもならぬ悲しいことばかりである。しかもこれをどうすることもできない。思えば「憂しと見し世ぞ今は恋しき」である。しかし、これがこの世の実相である。これよりほかに、具体的な人生はないのである。おどろいては念仏し、悲しんでは念仏し、たまげては念仏し、念仏するよりほかには何らの能のない人間である。ただこの世をこの世のごとく領解し、我を我のごとく領解し、今日を今日のごとく領解し、会う人を会う人のごとく領解して、念仏申させていただくことが、私にできることのすべてである。悲しいときには泣くがよく、嬉しいときには喜ぶがよく、誤解は誤解でよく、正解は正解でよい。人間はよくよく子供っぽくできている。善く誤解されたら喜び、悪く誤解されると腹を立てる。それで誤解されたとき、一番正体が現われる。とにかく、あるがままを受け取って念仏申す、これよりほかには、古の聖賢といえどもできなかったのである。

「あるがままを受け取って念仏申す」。なんでもないたやすいこと。しかり、たやすいことだ。だから易行道といわれるのである、「要道不煩」（要道煩わしからず。『浄土論註』）。一見、誰にでもできそうであって、できないことである。第一に易行ではあるが、難信である。極難信である。つまり信じられぬのだ。まことになれぬのだ。「あるがままを受け取って念仏申す」。第一にそれがどうなるか、知らぬ。「たとひ法然上人に賺されまゐらせて念仏して地獄に堕ちたりともさらに後悔すべからず」（島地二三―二、東八三一、西六二七）と御開山はいわれる。
どうなるかそれをきめてから信じようというのが、因果顛倒、自力の功利主義である。念仏はそれ自体が真実であって、人間のたった一つの本当の生き方である。何かの手段ではない。念仏の目的は念仏である。結果を先に考えて、それから割り出して信心するのではない。念仏は因道には違いないが、どんな結果が出るかは、私の知ったことではない。いずれ功利的な考え方からは、よい結果は出てこない。何となれば因がすでに純粋でなく、濁っているからである。

「どんなことに出会っても、あるがままを受け取って念仏申す」こと。まことにこれ以上のことは誰にもできない。その易行道がもし本当に一貫相続できたら、どうなるか。それはその人は私のいわゆる人類の教師になるであろう。そして世の悩める人、苦しめる人はこの人の所に来て、一言の言葉を聞き、一句の法を聞き、否、会っただけでも苦を軽くし、光に会い、力を与えられるであろう。それはちょうど、路傍に自然に湧く泉のように、多くの旅人の疲れをいやし、喜びを与えるであろう。

「あるがままを受け取って念仏申す」ことは、時によったら命がけの問題である。

吉水(よしみず)の教団は今や最後の時がきた。住蓮(じゅうれん)坊・安楽(あんらく)坊はすでに死刑になった。ご師匠・法然上人は土佐へご流罪となった。御弟子達は師の老いの御身を心配した。法蓮(ほうれん)房は言った。「上人の流罪はただ一向専修の念仏のためであります。しかるに老邁(ろうまい)の御身、遠い海波におもむきましませば、御命のほども心配でございます。我らが恩顔を拝し、み教えを頂くこともできません。またご師匠が流罪になられたならば、残った門弟も面目次第もございません。かつは念仏禁制は勅命でございます。一向専修をとどむべきよしを奏上しておいて、内々ご化導(けどう)なさってはいかがでございましょう」と申し上げると、上人は「流罪をさらにうらみとしてはなりませぬ。そのゆえは、私はすでに齢(よわい)八十にせまっています。たとい師弟同じ都に住んだとて、この世のお別れは近いことであります。たとい、海山をへだつとも、浄土の再会をなんで疑いましょう。しかのみならず念仏の興行も、都はひさしくなりました。辺鄙(へんぴ)におもむいて田夫野人(でんぷやじん)をすすめんこと、年来の本意である。いま事の縁によりて、年来の本意をとげんこと、すこぶる朝恩ともいうべし。この法の弘通(ぐづう)は、人はとどめようとしても、法さらにとどまるべからず」とて、さらに一人の御弟子に対してお念仏のことをのべられた。

すると御弟子・西阿弥陀仏(さいあみだぶつ)が推参して、「かくのごとく御義ゆめゆめあるべからず候う。おのおの御返事を申したもうべからず」と申しければ、上人のたまわく、「汝、経釈の文を見ずや」と。西阿(さいあ)いわく、「経釈の文はしかりといえども、世間の機嫌を存するばかりです」と。

上人の仰せられるよう、「われ、たとい死刑におこなわるるとも、このこと言わずばあるべからず」と至誠のいろもっとも切である。見たてまつる人、みな涙を流したとある（『法然上人行状絵図』第三十三、取意）。

「あるがままを受け取って念仏申す」ことは時には命がけのことである。法蓮や西阿の輩は今も巷に満ちている。世渡り上手で、妥協してでも一時の平安を求めようとする、事なかれ主義の人間に、法然・親鸞の真意がわかろうか。果たせるかな、法然上人は「田夫野人をすすめんこと、年来の本意なり。しかれども、時いたらずして、素意いまだ果たせず。いま事の縁によりて、年来の本意をとげんこと、すこぶる朝恩ともいうべし」といわれ、親鸞聖人もまた「大師聖人（源空）もし流刑に処せられたまはずば我亦配所に赴かんや、もしわれ配所に赴かずんば何によつてか辺鄙の群類を化せん、是れなほ師教の恩致なり」（『御伝鈔』上）（島地三一―二、西一〇四五、東七二五）と仰せられた。ご流罪のままを受け取って念仏されたから、ご流罪が生きて、辺鄙の群萠に念仏を伝え、自行化他これによって進み、真に生きられたではないか。

「あるがままを受け取って念仏す」ということは、ただ外に起きたことを、あるがままに受け取って念仏するだけではなく、内にまたどんな心が起ころうと、内にどんな自分のすがたが見えようが、起きてくるままを受け取って念仏申すのである。そしてこのことは違うようで同一のことなのである。たとえていえば、他人が自分のことを悪く言ったのを聞くと、外に何があろうとそのままを受け取って念仏する人は、その悪口を聞けば自分の心の中にもそれに応じて腹が立つとか、情けないとか、あるいは「それはよいことを聞いた、私の心のすがたが見えてきた。有難う」とか、何とか出てくるであろう。その出てくることによって、それを見て念仏申すのである。鬼が出ても大蛇が出ても、それが決してお念仏の邪魔にならない。邪魔にならないどころか、見えるにつけていよいよ願力を仰ぎまいらせて念仏する。また、内に悪い心が起きたことが、これでいいかしら、こんな恐ろしい心が起こるようでは助かっていないのではあるまいか、と思われるようでは、それはまだ心の底に、定散自力の機が残っているのであるから駄目。もっともっと本願のお意(こころ)を聞きこんで、その自力の心が無くなるまで聞いていかねば、弘願の信ではない。やっぱり「とはいうものの善人が助かるのだ」という自力の疑惑、善人意識が残っているのである。それがある間は内に何が起きてこようと念仏することはできない。またその人は、外に何が起ころうと念仏することはできない。

自分の信心決定(しんじんけつじょう)は確かだが、嫁の仕方が悪いので念仏が申されん、姑が悪いので、誰が彼が気に入らないので、念仏が申されんと、自分を念仏させぬ理由が外にあるように見えるのは、外ではなくて、魂の奥にあるのである。それがすなわち、邪見・憍慢・自力・疑惑である。こんな人は、多くは御法(みのり)を聞いても、常に名利(みょうり)と相応せしめている。一旦名利心を突かれると必ず信心も安心もなくなり、十年二十年の師弟関係でも、怒って逃げていく。これを善導(ぜんどう)大師は「業行(ぎょうごう)を作(な)すと雖(いえど)も心に軽慢(きょうまん)を生じ、常に名利と相応(そうおう)するが故(ゆえ)に、人我(にんが)自(おのずか)ら覆(おお)うて同行・善知識に親近(しんごん)せざるが故に」(『教行信証』化土巻)(島地一二―一八七、西四一二、東三五五)と誡(いまし)められた。名利心の満足が凡夫のいのちである。それが見えてくるまで、私の仏法を求める心が名利心であるものかと思っている。だからいけないのである。この二十願・自力念仏の自己を見せていただいて、謝りいるところに、十八願の世界がある。かくして、外に念仏を行ぜさせない原因があると思っているままが、内に癌が残っているのである。「あるがままを受け取って念仏申す」こともまた難いかなである。

生や念仏し、死や念仏し、順境に念仏し、逆境に念仏して、一生相続するならば、それは実は、如来本願、大悲・智慧・真実が一貫してわが業苦を受け取りたもうてあるのである。これを摂取不捨といい、回向というのである。私が私を受け取り、私が私の宿業を背負ったままが、たった一人しかいないこの可愛そうな私を私が抱き、私が背負ったままが本当は、常住真実なる無量寿のみ親に抱かれているのである。お念仏は私が称えるままが、如来久遠の名告(なの)りである。忍従の行者、念仏の上に香る香りは、光る光は、そのまま、摂取の仏智が光っているのである。あるがままを受け取って念仏申せといえば、依然として煩悩が主体のようだが、そうではない。名号六字が主体となって、一切の煩悩が名号の中に摂めとられているのである。だから人生の一切の生活経験がお念仏の中に収まるのである。内にも外にもお念仏からはみ出すものはないのである。もしはみだすものがあるなら、いつも言うとおりに、念仏の汽車に乗らずに、オモチャの汽車を持って走っているのである。

　無実の罪で越後に流罪になられた時には、どんな心も起きたであろう。悲しかったであろうし、さびしくもあり、残念でもあり、無念でもあり、およそ人間として起きるほどの心は皆起きたであろう。これが聖人ご一生の一番大きな谷底である。そのとき、一切衆生の起こすほどの心は起こしきられて、しかもそれにとどまらず、内に大悲の光懐に転じて、「愚禿親鸞」と大地に手をついて、久遠の宿業を知り、お念仏申されたからこそ、大地の聖者、群萌の父、百世の善知識たる聖人、法蔵菩薩さながらの正定聚の菩薩が拝まれたのである。一切衆生の苦悩を背負うて重担とする菩薩道の聖容が拝まれたのである。しかるに我々は、少しでも割り切れぬことに出くわせば、何とかしてこれを割り切ろうとする。割り切ろうとするとは、白黒をはっきりして自分がよいものになろうとする。しかし人生は矛盾そのものであって、決してそのすべてを割り切ることはできない。そこでついには行き詰まる。矛盾に出会っても割り切ろうとする。そのままを内に転じてお浄土へ流してお念仏申すこと、これもまた私が一生涯言い続けたことの一つである。腐った叡山の僧が、美しい吉水の教団を荒らしたのだ。正しいもの真実なものが、腐ったもの亡びるものに迫害されて散り散りになり、罪もないのに流されていく。それが矛盾である。しかしそこにこそ、やがてお念仏が全国に弘まる機縁が生まれたのである。法然上人も親鸞聖人も決して亡ばなかった。滅んだのは無理をする腐ったもの達であった。

かくてこの世に生きるには「あるがままを受け取って念仏申す」ということに尽きることを重ねて言ってペンをおく。夕の勤行では今頃「念仏には無義を義とす」を頂いている。要するにそのことである。

五　宿命から使命へ

念仏しつつ静かに現実生活の中に眼を開けば、必ず誰でも壁を見出すであろう。夫が念仏すれば、念仏しない妻、妻が念仏すれば、念仏しない夫の邪見・我慢というふうに、必ず誰か何か壁が見えてくるであろう。それを見てどういうふうに生きたらよいのであろうか。親は子のために嫌な壁と見え、子は親のために悲しい壁と見え、夫と妻、妻と夫、兄と弟、姉と妹、嫁と姑、人生の具体的生活において苦しんでいるのは皆、この壁のためではあるまいか。

　この壁に打ち当たって悩み苦しんでいるのはまだ取り得（とえ）があるが、一番あわれなのは、この壁が見えなくなることである。親と十年も仲が悪く、ものも言わない人が校長先生であったり、ご院家（いんげ）さんであったりする場合がある。魂がしびれてこの壁が見えなくなったのである。そこには影の薄い抽象的な人間が生まれる。この校長の下では、誰も人格的な迫力に動かされることはないであろう。金魚がガラス鉢の中で生きるような、壁に当たってもそれを知らぬ人になれば、この人はついに救われ難き人となるであろう。

　また、たといこの壁に打ち当たっても、その壁があまりに固くて、岩に釘を打ちつけて、却（かえ）って釘の先の方が敗けて曲がってしまったように、頑固の壁に歯がたたず、いじけたり、愚痴に泣いたり、ついには人生そのものを呪わなければならなかったり、あるいは敗けてしまって妥協上手な人間ができたり、自殺したり、あるいは刑法上の大罪悪まで犯したりする。もしこの壁が見えてもかかる有様となれば、恐るべきはこの壁に対する問題である。

極めて我の強い父を持った子供がある。子供はこの父が鬼に見え、恐るべき宿命の岩壁と見えて、不平・愚痴・瞋恚・怨恨・呪阻・反逆等々のあらゆる悪心がその前に起こる。そしてその暗い心がその子の一生を支配する。父もまた自らの我のために、その周囲の誰をも敵と見て苦しむ。しかるにその子がもし真宗念仏を聞くことができたならば、いかにその生活が転回するであろうか。

この子がもし正しい教えを説く人に会ったならば、正しい念仏の子となっていわゆる二種深信を得るであろう。「一には、決定して深く『自身は現に是れ罪悪生死の凡夫、曠劫より已来、常に没し常に流転して、出離之縁有ること無し』と信ず」（『教行信証』信巻）（島地一二一—五九、西二一八、東二一五）と如来の光に照らし出されたるわがすがたに覚め、自力をすてて「疑無く慮無く彼の願力に乗ずれば、定んで往生することを得」（同）（島地一二一—五九、西二一八、東二一五）と深信するであろう。この法の深信が確立して、その光が機を照らし出したときを、聖人は「そくばくの業をもちける身にてありけるを助けんと思召したちける本願のかたじけなさよ」（『歎異抄』）（島地二三一—一三、西八五三、東六四〇）と仰せられた。

これ、機の深信とは、宿業に対するめざめであることを示されるものである。今、父の前に宿命に泣く子は、一転して宿業に覚めるのである。曠劫以来の宿業が現前のすべてを生んでいることを知るのである。宿命に泣く子は父を見て、我を不幸の谷底にたたき落とす者は父であると、父の上に暗の責任と本源を見、宿業の子は、われ自らの過去遠劫の歴史の中に、現実の我の因を見出すのである。宿命の子は宿業を知ることによって本願力に乗托して、絶対自由の世界に内転するのである。

彼はそのとき、大悲本願の大地に合掌し、大愚大悪に徹して念仏するのである。彼はそのとき無間地獄の業因たる五逆罪の持ち主の我であることを知り、「必堕無間」の我を大悲光明の中に荷負して、久遠のみ親の招喚に生かされるのである。彼はそのとき合掌念仏の心を父に向ける。そして父に不孝をわびるであろう。大概の父はそのとき子供の態度に感動して父もまた頭を下げて泣くであろうが、百人に一人はそうする子を見ても、許すことなくさらに怒罵をあびせかけたり、呪いを増す父もいるであろう。かかるとき、子の心が金剛であれば父の相によって動かないであろう。もし不徹底であるならば、その父の冷たい言によってまた逆転して聞かぬ昔の心にかえるであろう。そして父は子を呪い、子は親を悪んで地獄道がつづくのである。

外に壁が見えるものは、同時に心の奥底にもまた壁があるのである。問題はこの心の奥の壁である。自力といい、我執といい疑惑というも、つまりは、この心の底の壁である。この壁が打ちくだかれない限り、浄土の光がこの心を照らすことはできない。如来と我とを隔てているものは、実にこの心の壁である。

何十年も念仏聞法するというのに、念仏しながら、暗い心で嫁と対立し、嫁の上に一切の責任をぬりつけて、愚痴小言のみで暮らしている老人がある。この人を最初に導いた人が、徹底的に心の奥を打ちくだいておいてくれなかったのであろう。今になっては病がすでに膏肓に入って、自己肯定の言しか受け取らない。哀れ超世の本願も、この老人にとっては、一時の気安めにすぎず、念仏は甘い自慰にほかならない。百千万言の教説も、逆に自己弁護に利用されて手のつけられないものになっている。今の念仏者は、大概ここにいるのではないか。真実の信心は、浄土の大菩提心である。すなわち真実信心は願作仏心であり、願作仏心は度衆生心である。自ら救われ、人も救われる道である。今の老人の念仏がなんで浄土の大菩提心であろう。念仏しつつ信心ではなくて愚痴である。

一人の嫁がいた。結婚して来るや間もなく一家中の者皆と対立し、子供までも敵として、何気なく吐かれたる一言にも怒って数日ものを言わない。一家皆よい人であるのに、今はこの嫁の我慢が一家の闇の中心となっていた。ところが今日のこの一家からのお便りにはこの嫁がみ仏の前に頭を下げ正法に耳をかたむけはじめ、心気一転してついに大悲の光懐にすべてを投げ出したとある。便りにいわく、「罪悪の自己にはじめて目覚めてくれました。如来の御はからいの尊さ有難さ、宿善のめでたさに驚き、喜びで一ぱいです。何はさておいても先生にお知らせせねばと早速愚筆を走らせます」とあり、外に見えたのは、己の心の影であったのだ。この心の奥の我の壁が崩れたならば、罪悪生死の凡夫と深信して念仏する。そのとき一家中に一人も己を苦しめる人はいない。それどころか、自分が他を苦しめていたことがわかるであろう。

汝、もし汝の周囲に、壁を見出すならば、合掌念仏してこれに向かってたじろぐことなかれ。信心の智慧によって宿業に覚め、大地にひれ伏してこれに向かえ。而してこの岩壁を割って泉を湧かし、広大なる白蓮華を咲かせてみせよ。この世で成ぜずんば来世、来世でいかずば来来世、尽未来際かけても、この願に生きよ。大悲の願に同ずるがゆえに必ず成就するであろう。善き果が現われて汝が助かるのではない。善き果の現われるであろう因、その因に汝をピタッとつけたとき、正しい因に住したとき、汝はすなわち助かるのである。

私はかかる一道を取ってたじろがざる多くの同胞を知る。そしてかつての苦悩の本であった人を、今は立派な念仏行者と化せしめ、念仏の金剛力を信証して、いよいよ明らかに無碍道を歩みつつある人を拝んでいる。かくして宿命から使命への転換こそ、信内面における回心の具体的事実である。

如来招喚の勅命は、水火二河の彼岸から聞こえる。この理想の彼岸よりの招喚を聞くものは、貪瞋二河の間に生まれる願往生心である。この清浄なる願心はすなわち汝を彼岸に度する白道である。願心の白道、それを裏返せば、そのまま如来の本願力である。この如来金剛の本願力そのままの願、この願のみ壁を打ち砕き、融かせて、無碍道を展開するであろう。

哀れなるかな。世の多くの念仏者達は、一生多くの時を聞法に費やしつつ、ついに心内深く巣喰うところの自力・我慢・我執・我見を円融せしめられることなく、自己肯定の岩壁をそのままにして、その上にみ法を聞き重ねてなおも我慢をつのっていく。たまたまこの我執に肉迫する教えあれば却って、それをもって異解者よばわりをなし、往生の大益を自障・障他する。まことに宗教は若きときに求めよの感深いものがある。教家誤って、他力をもって無力となし、壁に向かって泣く子を、一時の感情をもって甘やかし、悪弊に陥らしめて、悪人正機の法をもって、自己弁護の言たらしめ、如来本願真実の顕現を障碍することなかれ。信心は疑いなき安き心であるとともに、まことの心であり、大悲の心であり、智慧の心であり、無漏金剛の心であるがゆえに、有碍の生死界に無碍道を展開したもうもの、すなわち念仏道である。

六　無尽灯

話のいとぐち

『維摩経（ゆいまきょう）』の中にこんなことが説いてある。

在家の大菩薩である維摩居士（ゆいまこじ）はあらゆる方便をもって多くの人を救っている。その維摩が病気になる。病気になればなって同じ衆生をして悟りを得せしめている。

時に彼は自ら念（おも）うには「我は今病床にある。世尊の大慈悲は愍（あわ）れみを垂れて問疾（もんしつ）の使いをつかわしてくださるであろう」と。

世尊はその意（こころ）を知り、まず第一に舎利弗（しゃりほつ）に告げて「汝、維摩詰（ゆいまきつ）が所に病気見舞いに行け」と言われるが、舎利弗は「私は昔、林の中の静かな樹下に安坐していますと、維摩が来て呵（しか）って言うには『汝は樹下に閑居するを安坐と思っているが、万境即空（くう）とわかれば、山に入る必要もなければ世の避（さ）くべくもない。もし万法に対する執着がとれないならば、山林の中に入ったところで散乱を離れることは出来まい。つまり汝は不断煩悩得涅槃（ふだんぼんのうとくねはん）がわかっていないのだ』とさんざん叱られましたから、とても彼に詣って病を問うの任ではありません」とお断りする。こうして次々に十大弟子に及ぶが、皆彼に呵られたことを告げてお断りする。これが弟子品第三である。

次に菩薩品第四に、四人の菩薩、すなわち一に弥勒、二には光厳、三には持世、四には善徳と、問疾使を仰せつかるが、これも皆お断りする。今「無尽灯」という極めて有難い言葉の出るのが第三の持世菩薩のところである。

悪魔と智慧

仏は持世菩薩に告げていわれる。「汝、維摩の所に詣り病を問え」。すると持世は「世尊よ、私はとてもその任に堪えることは出来ません。そのわけは……」と語るのが次のごとくである。

持世菩薩はある時静かな室に住して仏道を修行していた。その時天魔波旬が万二千の天女を従え、しかも魔王の姿を隠して帝釈天の姿となって、美しい音楽を奏しながら来訪し、その眷族とともに恭しく礼拝合掌した。

その時、持世には魔王だと見破る力がなくて、帝釈天だと思い、これに語っていうには「帝釈天よ、よく来られた。帝釈よ。五欲の世界は無常である。これに執着してはならない。五欲の無常を観じて、善本を求め、身と命と財を捨てて道を修する者は、必ず無極の身と、永遠の命と、無尽の財を得て、たとい天地は焼け失すとも失せず、劫数尽きるとも尽きないであろう。これを堅法を修すというのである」と説法した。

すると彼は「菩薩よ、有難うございます。私は御法を聞かせていただいた御礼に、この万二千の天女をご供養したいと存じます。どうかお側においてお掃除にでもお使いください」といった。持世はおどろいて「帝釈天よ。我は出家修行の身である。天女のごときは『非法之物』である。何でかくも仏道の邪魔者を私に贈ろうとするのであるか」といった。

ところが言いおわらぬ間に、そこに維摩が現われていた。維摩居士が、持世を呵していうには、「持世！　これは帝釈天ではなくて、魔王波旬である。汝は天魔来たって汝の禅心を乱さんとするのがわからぬか！」と大喝した。

彼は叱られた。何を叱られたか、彼の修堅法の説法が間違っていたのではない。彼は魔王波旬の正体を見破る力なく、魔につかれてそれを覚らず、その詭術に翻弄せられて説法し、その説法につけこんでさらに悪魔は善に従うまねをして、持世の禅心を乱さんとする。彼のこの智慧のなさを叱られたのである。悪魔が悪魔の相ならば誰でもかかりはしない。しかし、悪魔は装う。頭を下げてつけ入ってくる時、それに弄せられる。

維摩は見破った。彼は魔王に言った。「この天女は私がもらい受けよう。持世は辞退したが、私だったら受けられる。さあ頂こう」

それを聞くと魔王は驚きおそれた。そこで形を隠して去ろうとするが、どんなに神通力を使っても形を隠すことも去ることも出来ない。智慧の前には悪魔は無力である。時に空中に、声があって聞こえる。

「波旬、天女を維摩に与えたならば去ることが出来るであろう」

そこで魔は畏れをなし、考えていたが、天女たちを維摩居士に与えた。

維摩の説法――法楽――

持世が「此非法之物」といった天女たちは、大菩薩維摩にとっては非法之物ではなくて、説法の対象であった。天女がつまらぬものと見えたのは持世の智慧では包みきれなかったのである。

維摩は天女らに説法をはじめた。

「魔は汝らを我に与えた。今君たちは無上菩提心を発こさなければならない」

天女らのために法を説いて、菩提心を発こさしめてまた言った。

「君たちはすでに道意を発こした。世には法楽というものがある。法楽こそ真の楽しみである。法楽を楽しんで、五欲の楽しみを楽しむべきではない」

これを聞いた天女たちはその法楽とは何のことであるかを問うた。そこで維摩は、まず、

一、楽常信仏

二、楽欲聴法

三、楽供養衆

と仏法僧の三宝に帰依することの楽しみを教える。法楽とは帰依三宝のことである。

次には、

一、五欲を離るるを楽しみ

二、五陰は怨賊の如しと観ずるを楽しみ

三、四大は毒蛇の如しと観ずるを楽しみ

四、内入（内入とは内身の十二処。十二処とは眼耳鼻舌身意の六処と、色声香味触法の六処つまり六根六境のこと）は空聚（空村に同じ）の如しと観ずるを楽しむ

以上の四句は厭悪門の楽しみである。

次に、

一、随って道意を護るを楽しみ

二、衆生を繞益するを楽しみ

三、師を敬養するを楽しみ

四、広く布施を行ずるを楽しみ
五、堅く持戒するを楽しみ
六、忍辱（にんにく）柔和を楽しみ
七、勤めて善根を集むるを楽しみ
八、禅定にして乱れざるを楽しみ
九、離垢（りく）の明慧（みょうえ）を楽しみ
十、菩提心を広むるを楽しむ
と十句をもって修善門の法楽を教え、
次にいわゆる善悪雑門について、
一、衆魔を降伏（ごうぶく）するを楽しみ
二、諸の煩悩を断ずるを楽しみ
三、仏国土を浄（きよ）むるを楽しみ
四、相好（そうごう）を成就するが故に諸の功徳を修するを楽しみ
五、道場を荘厳（しょうごん）するを楽しみ
六、深法（じんぽう）を聞いて畏れざるを楽しみ
七、解脱門（空・無相・無作の三、この三門によって縛（ばく）をとくから脱という）を楽しみて非

時（二乗の人は三脱門に入ってもその極を尽くさずして中途で涅槃をとる、これを非時という）を楽しまない
八、同学に近づくを楽しみ
九、非同学の中においても障りなきを楽しみ
十、悪知識を将護するを楽しみ
十一、善知識に親近するを楽しみ
十二、心に清浄（実相実浄の法）を喜ぶを楽しみ
十三、無量の道品之法を修するを楽しむ
これを菩薩の法楽というのであると、説いて聞かせた。

無尽灯

ここにおいて天魔波旬は、天女らに告げて言うには、「私は汝らをつれて天宮に還りたくなった」

天女たちは、天の魔王にむかって、

「あなたは、私たちをこの居士に与えたではありませんか。私たちは説法を聞いて法楽を得ることが出来ました。我らは甚楽しんでおります。もう再び五欲の楽しみを得ようとは思い

ません」と言った。

天魔は維摩に向かって、

「居士(こじ)よ、居士はこの天女をお捨てください。一切の所有を人に施す者が菩薩であると聞いております」

悪魔もまた人に向かっては正法(しょうぼう)を強いる。維摩は言う。

「我已ニ捨ッ矣——わしは前から捨てている。何も所有してはおらぬ。本説法のために受けたのみである。すでに説法をおわった、惜しむところはない。一切衆生をして法願具足せしめるのが菩薩の常法である」と。

すると天女らは悲しんで問うた。

「私どもは、どうして魔の宮殿に止まることが出来ましょう」

その時、維摩は天女らに言った。

「諸姉よ。一つの法門がある。無尽灯と名づける。これを尊ばねばならない。無尽灯とは、ここに一灯がある。この一灯を次々に移して百千灯を燃やすことである。そうすれば、くらき者が皆明るくなり、光明は終(つい)に尽きる時がない。是(かく)のごとく諸姉よ、一人の菩薩、百千の衆生を開導して、無上正真道の心を発こさしめ、その道意において滅尽せず、所説の法において自ら一切の善法を増益する。これを無尽灯と名づける。君たちは魔宮に住むといえども、この無尽灯をもって無数の天子天女をして無上菩提心を発こさしめることが出来れば、仏恩を報ずることとなり、また大いに一切衆生を利益（りやく）することが出来るであろう」

天女たちは歓喜して頭面（ずめん）をもって維摩居士の足を礼拝し、魔にしたがって天宮に還っていった。

かくのごとく持世は世尊に語り、「維摩には如是の自在神力・智慧弁才がありますが故に、問疾の使いに行く資格はありません」と断った。

昔、真言・天台等のいわゆる聖道門（しょうどうもん）の人たちは、女人は仏法の非器だと言い、「大蛇を見るとも女人を見るな」とて、女人禁制の山を造り、そこに道場を開き、男性のみの仏道修行をした。皆、天女を恐れて「此非法之物」と言い、悪魔を見破ることの出来なかった持世菩薩の眷族である。悪魔を見破る智慧の持ち主は同時に天女を恐れず、これを導いて「諸姉」とよぶ智慧の人であった。つまらぬというは小さき智慧袋、智慧がないからものを殺す、智慧が小さいからものがはみ出るのである。

女人でも悪人でも邪魔になるのは、女人に罪があるのではない、男子の心に弱いものがあるのだ。叡山の宗教を根こそぎ疑った親鸞聖人は男性本位の山を下りられた。そして吉水（よしみず）においいて本願大悲智慧真実功徳大宝海たる弥陀他力に帰せられた。一切衆生よと呼びかけ、悪人よと呼びかけ、女人成仏と誓いたもう広大なる大慈悲智慧を体得せられた。今この『維摩経』の説を、本当に大地の事実たらしめたのは誰だ。

人の世に住む女性たち、それは大方(おおかた)悪魔の中に住んでいる。時には夫さえ、親さえ、子さえ悪魔であるかもしれない。その時、同朋よ、仏法を聞け、そして信心を得よ。今の無上菩提心とは、自然にあなたに与えられて、あなたは念仏道の有難さ尊さを知って、法味楽に越した喜びのないことを知るであろう。

かくして不滅の灯となった女性が、その謙虚なる生活態度と明るい喜びに満ちた心をもってこの六字の霊火を子供につけ、夫につけ、兄弟姉妹につけ、隣人につけ、かくして連続無窮に聖火が点ぜられてゆくならば、これがすなわち無尽灯である。そしてそれは今我らの御同朋によって展開されている事実である。

七　一つのことば

同じことを思いつづけるのがよい。一つの言葉を、ずっと頂きつづけるのがよい。御信心とは、一生続けて頂いてもついに無くなることのないみ言葉を頂いたのであるとも言うことが出来る。一つの言葉をずっと心にかみしめて、一歩一歩人生の旅を続ける人は、他の人には知りようのない生活経験というものを受け取ることが出来る。

親が旅に出る子に、「人を見たらどろぼうと思えよ」と教えて出す。あるいは、「旅は道づれ、世は情け」と教えて、人を見たら親切にせよ、助け助けられてゆくのが人の世だ、人の御恩を忘るなよ、「サギは立つともあとを濁すな」と教えて出す。

この二人の人間の行く末を見るがいい。前の親は、人を見れば盗人と思えよ、「旅の恥はかき捨て」だと、悪を上手にやってのけることを教える。小さい時に植えつけられた根性魂が、小学校、中学校、高等学校、大学と、どこまで行ってもものを言い貫いて、この人間の一生を支配して大した人物にはなりようがない。

高い人格から出た、高い言葉を一生涯持ちつづけるがいい。

「邪見憍慢悪衆生」と仰せになる。人の前に立って講演するほどの人、すなわち教家にしてこのお言葉を知らない人は一人もいない。講演にもすれば、これを槌にして人の頭をもたたく。しかし自分の頭が高いことは百千万度聞かされても見えてこない。一言の中に邪見憍慢のありたけが見えている。そんな邪見な高上がりの話は誰も好かない。すると喜んで聞かない罪は大衆の上に被せて「聞く耳など持ってはいないじゃないか」という。自己肯定もここまで来れば、始末がつかぬ。このとおりに邪見憍慢悪衆生の一句すらなかなかそれが私のものとはならない。しかし不思議なもので一句の御法(みのり)が本当にこの人のものになれば、自然(じねん)に百千の法がその人のものになっている。


「おい君。君は何のために、壇上に立って話をするのか、考えてみたことがあるかね」

「それはわかったことです」

「どうわかったことかね。言ってみたまえ」

「それは、自信教人信(じしんきょうにんしん)のためです。我人ともにお念仏申させていただきたいためです」

「そうだ、そうだ。ようわかっているね、君にも。しかしどうだろう。それなら君の話は大衆にもっとわかるはずじゃ。君の話は、何のことかよくわからぬというぞ、大衆が。もっと大衆にわかるように話したらどうだ」

「私にはそんな芸は出来ません。人が聞いてくれようが、くれまいが、私は私の深い味わいを語ればいいのです」

「そうか、それなら、大衆の前に立たなくてもよい。一人書斎でお聖教(しょうぎょう)を頂いていればいいではないか。人が君の言うことを喜んで聞かぬ原因がわかった」

誰でもこの世に生まれたものは、『大経』下巻の「本罪」とて、生まれながらにして、久遠のみ親に反逆して、不了仏智（ふりょうぶっち）とか、仏智疑惑とかいわれるところの根本の罪を持っている。これは生まれたままで持っているのである。この根本の罪悪、生きている限り誰でも持っている根本無明（むみょう）が問題にされるのが宗教である。教を説く限り直ちにこの根本の病根に教のメスが入りこんでのみ助けられるのである。善だとか悪だとかに囚（とら）われ、いかにお念仏の話をしても、その心の底には、依然として善悪を言う心のみがあって人を裁き、また、名利心（みょうりしん）が根強く巣を造って、お話をしながら、立派な先生と言われたい、学者と見せかけたいというふうな心がいっぱいあって、話が名利の話となる。それだから、誰が聞いても腹がふくれない、何やら足らないものを感ずるのである。

お念仏の世界において、久遠劫来の根本の大問題を解決してくださるのが信心である。この根本の問題を解決していただいた者が、じっとしていることが出来ないで人に伝えるのが自信教人信である。

仏法に入って位を得ようと思えば、ある程度の位が得られる。仏法に入って学者になろうと思えば、それ相当の学者にもなれる。仏法によって衣食を得ようとすれば、ある程度の衣食も得られる。仏法に入って我と人との上に真実の自覚や救済を得ようとすれば、まことにこれを得ることが出来る。いったい仏法者は仏法の大海の中に、何を求めて入ればよいのか。

それは分かったことであるというかも知れぬ。しかし私には、それが根本的な一つの問題で、このことが仏教者となった最初の日から考えられていたならば、やがてそこには闇の世を照らす一本（ひともと）の常夜灯が生まれてはいなかったろうか。学問も出来たろうし、講演や説教も大家の名を成就したろうけれども、人生最後の日に立った時、何もない愚痴のかたまり、救われていない自他のみが死の前に存在するのは、今言ったようにその最初の日に、一生を貫くべき言葉を得ることが出来なかったのである。

しかし今からでも遅くはない。全我を救いあげてくださる一句の法門を受け取って、聞法精進するがよい。浄土真宗は自然の法則が衆生の上に生きてくださることである。自然の法則が生きてくださるのであるから、衆生にとってはまことに易行道（いぎょうどう）である。

自信教人信というみ言葉でも、これはまことに善導（ぜんどう）大師が念仏に救われて、「真成報仏恩（しんじょうほうぶっとん）」の大道はこれより他にはない、とお示しになったものである。そしてそれは、そのまま御開山（ごかいさん）聖人では、「憶念弥陀仏本願　自然即時入必定　唯能常称如来号　応報大悲弘誓恩」であって、如来本願大悲自然の法則が、名号（みょうごう）となって、易行道を展開することを示されたものであって、ただ南無阿弥陀仏の六字につきる。

この名号六字が、生きたみ親であり、信心であり、行であり、これを称えるままが自信であり、教人信であり、願作仏心であり、度衆生心であり、仏恩報謝である。南無阿弥陀仏の六字を一生かけて称え続けさせていただく。それの真に出来る人の幸は、なかなか言葉にあらわすことは出来ない。一生を貫く一つの言葉……一生を貫く一つの念仏行……そこに至幸至福の人が存在する。若き人よこれを思え。

八　常行大悲

道綽禅師の『安楽集』を、聖人、信巻末に引いていわく、

「『大悲経』に云はく『云何が名けて大悲と為る　若し専ら念仏相続して断えざれば、其の命終に随ひて定んで安楽に生ぜん　若し能く展転して相勧めて念仏を行ぜしむる者は、此等を悉く大悲を行ずる人と名づく』」（島地二―八九、西二六〇、東二四七）と。

信巻末には、金剛の真心を獲得する者は、必ず現生に十種の益を獲るとて、その中に「九には常行大悲の益」と挙げられた。

『歎異抄』の四章には「しかれば念仏まをすのみぞ末徹りたる大慈悲心にて候ふべきと、云々」（島地二三―三、西八三四、東六二八）と。

人格の破算

今頃夕べの勤行の時、『歎異抄』の第四章を頂いていますが、しみじみとお念仏の身にしていただいたことを喜ばせていただくことであります。大慈悲という題で『光明』にもずっと連続して書いていますので、特にこの章は関心も深いわけであります。仏道である限り、いつも言うように、頭の仏法、観念の遊戯ではならぬのでありますが、特に大慈悲の問題はそうであります。

大慈悲は仏道の正因でありまして、大慈悲があれば仏道は成立するし、無ければ仏道は成り立たないのであります。そこでこの四章の初めには「慈悲に聖道・浄土のかはりめあり」と慈悲の相に二様あることを示され、聖道の慈悲を説明して、「聖道の慈悲といふはものを憫み悲み育むなり」とあります。「あはれみ」「かなしみ」が悲であり「はぐくむ」が慈でありましょう。

はぐくむという言葉を『大言海』には「羽含ムノ意カ」といって親鳥がひなを羽交をもって被い育つ、また羽の下にひなをはさみつつむ、といって、『万葉集』の歌を一首。

「旅人の宿りせむ野に　霜降らば　我が子　羽ぐくめ　天の鶴群」

と出してあります。旅するわが子が野宿したなら、空の鶴たちよ、吾が子をはぐくんでくれという親心の切なさを出したものでありましょうか。二に、はぐくむは「ヤシナヒソダツル」すなわち養育することであるとして、『金葉集』九雑・上の歌一首、

「あはれまむと思ふ心はひろけれど、はぐくむ袖の狭くもあるかな」と引いてあります。ものをあわれまんとしても力およばぬことを歎いたものでありましょう。他の運命をはぐくみ育てる能力も、他の苦悩に大悲同感する心も持っていない私であります。

「しかれども思ふが如く助け遂ぐること極めてありがたし」と言い、また「今生にいかに愛し不便と思ふとも存知のごとく助け難ければこの慈悲始終なし」と、聖人は、慈悲の問題についての人格破算の宣言をしておられます。誠に御言を頂いてみますと、私には、一切衆生に対する「運命の共感」の能力がない。しかも自分に慈悲がないとは思えないで、人に親切がないと見え、誠がないと思う。そうして、慈悲のかわりに、貪愛（とんない）・瞋憎（しんぞう）・不平・愚痴で生きているけれども、それであればあるほど忘れられぬのがこの問題であります。

「衆生無辺（ナリトモ）誓（ニ）願（ス）度（セント）」、四弘誓願（しぐぜいがん）の第一句であります。この利他よりほかに、自利は成就しない。それに私には慈悲がない、これだけで私の存在価値はない、人格などといったところで、道といったところで、いい加減なことであります。生きるに生きられず、死ぬに死なれないのは、まことにこの故であります。いかなる非難にも価（あたい）します。いかなる罵倒にも答えはない。永劫の火に焼かれても仕方はないのであります。浄玻璃鏡（じょうはりきょう）の前に沈黙して頭を下げて、

出離の縁あることなしと知らせていただくことであります。

新しい生命道

しかるに、新しい道は開かれたのであります。それは浄土の慈悲であります。

「また浄土の慈悲といふは念仏していそぎ仏に成りて大慈大悲心をもて思ふが如く衆生を利益するをいふべきなり」

「しかれば念仏まをすのみぞ末徹りたる大慈悲心にて候ふべきと、云々」

（島地二三―三、西八三四、東六二八）

慈悲に二つの道があると立て分けられたのは、頭で考えて二つの道を列（なら）べられたのではないのであります。身をもって選択された道であり、自己自身というものに対する内観批判を徹底することによってなされた決判であります。万人を愛すべきことを叫びつつ、ついに自分の妻一人をどうすることも出来なかったのがトルストイであります。彼の人類愛の気迫は、地球を包むかに見えて、妻一人をどうすることも出来ない、それが人間のすがたであります。万世の大善知識である親鸞聖人が、御長男の善鸞を勘当して父子の義を断たれなければならない。

「是非しらず邪正もわかぬこの身なり　小慈小悲もなけれども　名利に人師をこのむなり」

（島地一一―四二、西六二二、東五一一）

この沈痛なる機の深信が、信ずべき法を選択決定するのであります。しかしかかる機の深信は、法の深信から生まれたものであります。如来の智慧に照らされて、現実の自己を受け取ったのであります。

聖道門とは道の論理であります。「一切衆生を汝の大慈愛をもって包め、一切衆生の中一人でも苦しむ間は、汝は無間地獄の猛火の中に合掌して永劫一貫の菩薩行を行ずべきである」。この慈悲と智慧との一如なる浄玻璃の鏡こそ、汝の針ほどの小事の不満心も棒大の怒りを持つ、十悪五逆の真相を知らしめて、新しい生命道たる念仏道に転入せしめたのであります。その時、かの浄玻璃鏡は消えてなくなったのではなくて、一転して、阿弥陀仏の上に、法蔵菩薩の五兆(注)の願行の上に本願の上に拝むこととなったのであります。

念仏即大慈悲

永遠の大慈悲は、生死する相対有限なる私から生まれるものではなかったのであります。大慈悲は念仏行者の上に顕現し、菩薩の上に顕現し、諸仏の上に顕現して道を成就しても、大慈悲は則ち仏であります。大慈悲は南無阿弥陀仏であります。衆生の上にあっても衆生のもので

(注) 五兆：五劫思惟・兆載永劫のこと。

はない。「たとい我、仏と成らんに、十方衆生よ、本願を信じて念仏申せ、一人でも若し助からないならば正覚は取らない。……たといこの身を地獄や餓鬼や畜生等の諸の苦悩の中におくとも」

我らは、「無有出離之縁」の内観の上にこの大悲本願のおん呼びかけを受け取らせていただくのであります。そしてただ念仏させていただくのである。一切の自力のはからいを捨ててただ念仏するところに、大慈悲は具体化されるのである。念仏しつつ大慈悲を行ずるのではない。大慈悲を行ずるとは、お念仏申すことであります。お念仏申すことが、大慈悲を行ずることであります。如来の行を行ずるのであります。

「若し能く展転して相勧めて念仏を行ぜしむる者は、此等を悉く『大悲を行ずる人』と名く」　（島地一二—八九、西二六〇、東二四七）

誠に感銘すべきみ言であります。大慈悲の問題は、真に人生の根本問題であります。どうしても解決しなければならぬ根本の問題である。

私はこの頃、何も出来ない身であることを思うにつけて、煩悩と死よりほかない身の上であることを思うにつけて、私の行ずることの出来るたった一つの行、念仏を回向してくださってあることを身にしみて有難く思うことであります。念仏することは大慈悲を行ずるのであると私どもが力むのではなくて、仏の仰せであります。「信じて称うる」ことが私の全てであります。

「極重悪人　無他方便　唯称弥陀　得生極楽」の源信和尚(げんしんかしょう)――親鸞聖人のみ言葉の忘れられぬこの頃であります。聖人を拝むと、念仏と人とが全く一つになっておられるようであります。

第四章　仏心とは大慈悲これなり

大慈悲の光　全人格の上に輝きて世の燈炬となり
大慈悲の力　無明の黒闇を滅して金剛不壊の信力となる
仏心とは大慈悲これなり
南無阿弥陀仏の大行となって　一切群生を彼岸に度す

一　泉

私の心ひかれるものの一つに泉がある。

泉に心ひかれるのは、それが自然であって、清らかで、夏は冷たく、冬は温かで、見るものをして、掬(すく)うものをして、快適ならしめるからであろう。泉はいい、思い出しただけでも、清涼を感ずる。横にこの泉を掘り当て、家の裏の水槽に不断に、筧(かけい)を通ってこの清涼な水の音がしている家、それも病床に思い出すものの一つである。

深山幽谷の泉に至っては、ただ思い出すだけで、自ら寂々の境に沈ませてくれる。

信は、浅ましい人間の心に湧いてくださる泉である。堅い我慢な心の石の間に、この信の泉がわき出てくださると、この清涼の心水は、いかなる心をも柔軟にしてくださる力がある。

いかに人間が自分の行動の正しさを主張しても、それを見る人達に不安と、恐怖と、嫌悪等の心だけを起こさせる場合、そんな行動の行く末からは、決して人間の真の幸福は出てこないであろう。何かが欠けている。美しい潤いが欠けている。潤いがないとは、心の真実が欠けていることである。また他人の真の心に通うことができないのである。

人は一面においては、富貴もこれを淫（いん）すること能わず、威武（いぶ）もこれを屈すること能わず、何ものにも動かされない一面がなくてはならぬとともに、小さい真実の心の表れに対しても涙して感謝する一面がなくてはならぬ。それは両立するものである。潤いのない心とは、自ら柔軟な真実の心を欠くのみならず、他の真心も受け入れない心である。こうした人が集まるところには、殺伐な砂漠のありさまが出現する。

信心は、三毒の岩の谷間に湧き出ずる清水である。自然の泉である。

自然（じねん）の浄土より起こって、現実の念仏行者の胸にわくこの泉は、自他をうるおし、自他を生かし、その煩悩業苦を洗い清めて、自然の浄土に帰る。

お念仏は、この泉の流れてかえる音である。

『御本典』行巻にいわく、「悲願は喩（たと）へば……涌泉（ゆせん）の如（ごと）し、智慧の水を出（いだ）して窮尽（ぐじん）すること無きが故に」（島地一二一―四七、西二〇〇、東二〇一）と。

信心の自然の清水は、如来願力そのままに湧き出でる、清浄真実の泉である。

二　三縁の慈悲

仏道とは

仏道とは「仏と鬼」との関係交渉である。

仏とは智慧と慈悲との覚体であって衆生を救って下さるみ親、鬼とは煩悩具足の我ら凡夫のことである。誠に凡夫（ぼんぶ）たる我等は鬼である。親を食い子を食い衆生を食い一切を食うているものである。鬼には二本の角が生え、口は耳までさけておる。角は邪見（じゃけん）の象徴、さけた口は残忍の相、常に人の善悪を裁きつつ、しかも自らは決して自らを見ようとしない。衣食足ればおごりたかぶり、衣食が足らなければたちまちその本性を暴露して、邪見な角をふりかざし、我慢の牙をかみならし互いに傷つけあい、我が子さえこれを食う。『大経』に言わく「強き者は弱きを伏（ぶく）し、転（うた）た相剋賊（あいこくぞく）し、残害殺戮（ざんがいせつろく）し」（島地一―五九、西六二、東六六）と。この一句だけでこの生死界の実相はつくされてある。食うて喜び食われて泣く弱肉強食、鬼だ鬼だ。百鬼夜行の闇の世である。その鬼を救いたもうのがみ仏である。重ねていう、鬼とは煩悩具足の凡夫である。

大慈悲

「仏心とは大慈悲是れなり」（『観経』）（島地二―一五、西一〇二、東一〇六）

この『観経』のおことばは仏教を頂きはじめた最初から、命のおわる最後まで忘れることの出来ないみことばである。忘れることが出来ない、それではまだ足りない。学問するにも、ものを考えるのにも、これのみが中心となって来る。大慈悲こそ私たちの生命であり、光であり、道であり、親であり、力であり、帰依処であり、信であり、喜びであり、安らぎであり、船であり……つまり私の全てである。み仏の大慈悲がなければ、私の発散するものはただ愛と憎とのみである。

釈尊というも大慈悲であり、諸仏というも大慈悲である。大慈悲とはしかし南無阿弥陀仏である。而して「大慈悲は是れ仏道の正因」（『浄土論註』）であるとは親鸞聖人の第一提言である。大慈悲のないところに道があろうか。自覚があろうか。大慈悲のないところには、無明煩悩のみがある。

三縁の慈悲

曇鸞大師（どんらんだいし）は『浄土論註』に、三縁（さんえん）の慈悲ということを説かれた。衆生縁の慈悲と、法縁の慈悲と、無縁の慈悲とである。而して衆生縁の慈悲は小慈悲、法縁の慈悲は中慈悲、無縁の慈悲は大慈悲といわれ、小慈悲は凡夫の慈悲、中慈悲は小乗の慈悲、大慈悲は仏菩薩の慈悲であるとせられる。

衆生縁の慈悲とは、凡夫が衆生を縁じて起こす慈悲である。縁じて起こすとは見て起こすのである。衆生の気の毒な有様（ありさま）を見て起こす慈悲である。復員者が港に上陸するや、「御苦労でございました」と言葉をかけられてすら皆泣いたという。人生はこの慈悲によりて成り立つのである。人の苦しみを見て一掬（いっきく）の涙を流す、この涙が時に人の一生をすら支配する。しかしこの慈悲は小慈悲である。たちまちに消え、たちまちに濁る。

法縁の中慈悲とは二乗の慈悲で、法を縁じておこす慈悲である。法を縁ずるとは、法によって法を知り、法に照らして起きる慈悲である。たとえば、重い病人を見て気の毒なことだと涙するのが凡夫の小慈悲であるならば、医師が病人を見て起こす慈悲の如きものが法縁の慈悲であろう。執着よりほか何物もない迷いの凡夫を、一切空（くう）の理（ことわり）を悟れる小乗の聖者が見ておこす慈悲である。

無縁の大慈悲とは実に仏の大慈悲である。無縁とは、あらゆる縁を絶したる大慈悲。千縁万縁を絶したる慈悲とは、それ自体大慈悲であること。あらゆる縁を離れての慈悲とは、あらゆる縁においておこる慈悲ということであろう。凡夫の慈悲は哀れなるものにおいては起き得ても、にくむべき者においては起きないであろう。小乗の慈悲は悟れる法による慈悲なるが故(ゆえ)に、悟りに限界がある限り、慈悲にもまた限界があろう。それ故に無縁の大慈悲は、無限の智慧によって起こる慈悲であって、一切の限界を越えたる無限の慈悲、無底(むてい)の大悲ということが出来るであろう。誠に無縁の大慈悲とは、無限絶対の大慈悲である。有縁の慈悲とは有限の慈悲である。無限の大慈悲を今、無縁の慈悲と表現せられたのであろう。

信の自覚

我等は衆生縁の慈悲に生かされ、法縁の慈悲によって救われ、無縁の大慈悲に摂取せられる。『観経』には「無縁の慈を以(もっ)て諸(もろもろ)の衆生を摂(せっ)す」（島地二―一五、西一〇二、東一〇六）と説かれてある。然(しか)るにここに考えねばならぬことは、慈悲というのもつまりは感得するものであるということである。感得するものであるが故に、内に信心の智慧が無ければ感得することは出来ない。ここに一人の寺院の住職がいたとする。若(も)し彼が守銭奴(しゅせんど)であって、講師を招いて説教をさせるのもつまりは寺に金が落ちるのを喜ぶだけであったならば、彼には全く法縁の慈悲を感得することは出来ないであろう。ましてや、仏の大慈悲の摂取などが感得出来ようか。そうすると慈悲という問題は汝の心の眼、心の耳、つまり自覚の問題である。法縁に会わない人は、ただ人間愛すなわち衆生縁の慈悲のみに生きる人である。いかに超世無上の正法（しょうぼう）を聞かせても、それが慈悲であるとは感じられない人には、またそれを通して無縁の大慈悲を領解（りょうげ）感得することは出来ないであろう。

かくの如く、慈悲は感得するものであるとするならば、三縁の慈悲というものもまた、大中小の分類だけでは説明はつかなくなるであろう。何となれば念仏行者にとっては、法の縁に会うことは、小乗の中慈悲ではなくて、法縁のままを仏の大慈悲の具体的な相（そう）と感ずるからである。我等は念仏の心において、同行善知識（どうぎょうぜんちしき）に会うことにおいて、衆生縁の慈悲を感ずる。しかしそれはそのまま法縁によって結ばれるが故であり、さらに法縁が慈悲であると感ずるのは、それによってもっと深い無限の大慈悲海に帰入するが故である。無限の大慈悲が我（われ）を摂取することを感得することによって、はじめて法縁は、そのままこの大慈悲より出でたものであることを知り、やがてこの法縁につながる同行善知識に遇（あ）い得たる美しき衆生縁の慈悲においても、いよいよ念仏の大慈悲を感謝するのである。

かく考える時、衆生縁の慈悲と法縁の慈悲とは無縁の大慈悲の具体的な両面であることが知られてきて、観音を衆生縁の、勢至（せいし）を法縁の慈悲の表現であるとの説も肯（うなず）かれることである。

観音は永久に生死海に来たって一切衆生の苦悩に同感し、その挙身の光中には一切衆生を映し、一切衆生を無条件につつんで一人として残すことなく、それ故に永久に成仏せられぬのである。然るに勢至菩薩は法を説いて衆生を救うのであるが、勢至の説法を聞き得るものはただ有縁の衆生のみである。観音の慈悲には一切衆生悉く抱かれていてその運命を育てられつつ、勢至の説法すなわち法縁の慈悲には縁の有るものだけ遇うことが出来るのである。これが道とか自覚とかいうものの意味であろう。かく衆生縁によりて法縁の世界が開け、さらに内なる宿善の開発したものだけが、無縁の大悲の境地に出て来るのである。この世界に出て来ないと、衆生縁、法縁の真の意味は出てこないが故に、祖聖が「今の行者、錯つて脇士につかふることなかれ、ただちに本仏をあふぐべし」（島地三一―二、西一〇四六、東七二六）といわれるのであろう。阿弥陀仏の大慈悲に目覚めてのみ、法縁の意義がわかり、衆生縁の世界も美しいものとなるのである。

思えばこの三縁の慈悲の問題こそ人生そのものを解くカギであろう。衆生縁だけの世界には、ついに醜い争いや、低い本能的な生存よりほか何ものもないであろう。法縁の慈悲の世界、広くいえば真の教育を受ける世界に出てこなくては、そして、それによって無限の仏智の世界に帰入してこなくては、一切の問題は解けてこないであろう。

慈悲の感得

すでに慈悲は感得するものであることを述べた。真に獲るとは感じることである。感じえたものだけがその人のものである。感という字は業感縁起とか修因感果とか使われて、迷いにもせよ悟りにもせよ、果を得ることを感というのである。

聖道門型の人は、自分がいかに感ずるかよりも、他をしていかに感ぜしめるかを問題とし、浄土門の人は、人をしていかに感ぜしめるかというより前に、我がいかに感ずるかを問題にする。慈悲を行ずることも困難であろうが、慈悲を慈悲として受け取ることは一層困難である。教訓を与えることは誰でもする。しかしこれを受け取って慈悲を感ずることはむずかしいことである。世界一の親切さえ時には仇敵になる因となることがある。市井の無頼漢は、師や親や友人の親切を慈悲とは受け取れないで悪友の言に感じ易かったのであろう。かくていかなる慈悲も慈悲と感ぜられない以上、慈悲は慈悲となることは出来ない。

念仏の世界においても、宗教家の人間的親切のみが受け取られて、その説くところの法が受け取られないならば、衆生縁の慈悲ではあっても法縁の慈悲とはならない。たとい法は受け取られても、それが単に知性的に観念的に受け取られたのでは、法縁の慈悲とは言われても、無縁の大慈悲の境地に入ることは出来ない。ここにおいて、法縁の慈悲が小乗の慈悲と言われることも「小乗の人の感ずる慈悲」とも考えられ、大慈悲が真に感得せられる世界を「大乗の世界」と言うことが出来ると思う。何となれば我等は何等の慈悲をも持っていないという反省において本願の大慈悲を受け取れば、直ちに大乗正定聚の人、等正覚の菩薩、諸仏等同とさえ言われるが故である。大慈悲を自ら成就することと、大慈悲を感得することとは畢竟同価値であらねばならない。故に聖道門の人は智慧を極めて慈悲に入り、浄土門の人は大慈悲に救われてやがて信心の智慧に至ると言われる。

信心の智慧

『観経』の真身観には「光明遍十方世界を照らし念仏の衆生をば摂取して捨てたまはず」（島地二―一五、西一〇二、東一〇五）と説かれ、やがてまた「仏心とは大慈悲是れなり、無縁の慈を以て諸の衆生を摂す」と説かれた。

これによると、光明に摂取されるとは、無縁の大慈悲に摂取せられることである。仏の大慈悲のおん心のうちに摂めとられるのである。念仏衆生摂取不捨とは、信心の行者は光明すなわち大慈悲なる仏心に摂めとられるのである。然るに信心とは、無縁の大慈悲をその本願の御意において受け取ったのである。受け取るとは感得したのである。御法の縁に遇うことにおいて、すなわち聞其名号信心歓喜と名号を聞くことによって、無限の大慈悲を感得したのである。法縁に遇うことによって、それによって無縁の大慈悲を感ずること、底ぬけのお慈悲を感ずること、感ずることは獲ること、であるからその感得する心そのものが大慈悲によって発こるところのもの、氷によって冷たさを感じ、火によって熱さを感じ、梅干によって酸味を感ずると同じく、大慈悲によって大慈悲を感ずるのであるから、信心はすなわち大慈悲といわれる。であるから、聖人は『唯信鈔文意』に「この信心即ち大慈大悲の心なり　この信心即ち仏性なり　仏性即ち如来なり」（島地二〇―九、西七一二、東五五五）といわれる。信心は大慈悲である。而してこの大慈悲こそ仏道の正因、信巻末には「大慈悲は是れ仏道の正因なるが故なり」（島地一二―八四、西二五二、東二四二）と仰せられた。誠にかくして念仏の行者は正しく尽十方無碍光如来の大慈悲にむかって開眼せしめられたものであり、大慈悲を獲たるものであって、道の本質、自覚の本源、人格成立の第一義諦を決了満足せるものである。だからして絶対の信心を「智慧の念仏」といい「信心の智慧」といわれるのであろう。大慈悲を大慈悲として感得するものは誠に信心の智慧である。もし少しでも大慈悲にむかっての曇りがあれば、それは信心の智慧の曇りである。我等は、一文不知の老婆であっても無我に大悲本願を喜んで生きる人の上には、「智慧」の輝きの尊さを見ることが出来るのは、信心の智慧によるのであろう。

底ぬけの大悲

念仏の行者は、真実教を聞信することにおいて底ぬけの大慈悲を感ずる。それは教法を頭だけの知性的観念的な受け取り方をしないで、全我の上に身をもって体験するからである。知識学識は頭にあり、智慧は全身全我の上にある。仏教においては、それが聖道にもあれ浄土にもあれ、いかに難しい学問であろうとも、決して学問の為の学問、思弁の為の思弁ではなくて、必ず行学である。全我の上に必ず行となって現われなければならないのである。浄土他力の法門においてもまた然りである。教法を聞くとは信ずること、信ずるとは行ずること、聞、信、称は次第しつつも一念同時である。聞くとは「弥陀の誓願不思議にたすけられまいらせて往生をば遂ぐるなりと信じて念仏申さんとおもいたつこころのおこる」ことである。だから真の聞には信称を具し、真の念仏は聞信を具するのである。かくて念仏を行ずる者は、南無阿弥陀仏と称うるままの上に、如来無限の大慈悲を感得するのである。それ故に信心の人を常行大悲の人といわれる。

何故に念仏において無限の大悲、底ぬけの大慈悲を感得するのであるか。それは信心の智慧は、自身の罪悪生死の凡夫であることを深信するが故である。罪悪深重、煩悩熾盛の自覚において自力無効を信知して、ただ仏願によって下品下生の悪人が救済されることを信知するが故である。大慈悲を知るものは無有出離之縁の自身を知る。浮くすべのない鉄槌が浮かぬままを乗せられる。たすかる手がかりのないものが助けられるのが南無阿弥陀仏の大慈悲である。

かくして無縁の大慈悲の世界に入ることを得るものは、真に自身を知り自力無効を知って大地に合掌せる人である。人は生死の巷の雑音によって外に外にと外向きに生きて流転輪廻するか、真実教によって内に向かって己に覚め回心懺悔して本願海に帰入するか、外向か内転か、この二つよりほか生きる道はあり得ない。したがって悪人正機とは、「他力をたのみたてまつる悪人」とは、決して殺人強盗などの外向性の悪人をさすのではない。至悪至愚の泥凡夫と覚めて、底ぬけの大慈悲に摂取せられて合掌念仏する内転性の悪人、功徳の大宝海をその身に満足せる、凡夫さながらにして等正覚と讃えられる悪人である。全身全霊すなわち煩悩具足、この煩悩具足の深信が大慈悲を感得するのである。

人生の根本問題

かくして衆生縁の慈悲のみに生きるものは流転し、法縁の慈悲の世界にとどまるものは独覚性によって独善懈慢の世界に幽閉せられて、真の自身と如来とを知ることが出来ない。ただ宿善開発して発遣招喚の教勅にあうものは、全我を大地に投げ出して無縁の大慈悲の境に帰入するであろう。

然るにこの無縁の大悲に摂取せられたるものは、仮令無仏の国にあって生死動乱のただなかに、人の世の冷厳無情のみ受け取る日が来たっても、千縁万縁いかなる苦悩の中にもますます無有出離の宿業を感じ大悲を感じて念仏不退なることを得るであろう。衆生縁、法縁の温かさなくとも遂に念仏一貫して摂取不捨の大慈悲を生きる、ここにも特に大慈悲を無縁といわれる所以を思うことである。かくてただ無縁の大慈悲の信のみが念仏不退を獲るのである。もし人一度この無縁の大慈悲の世界に入れば法縁の慈悲も遂に真に生きてきたのであり衆生縁の世界もまた浄化されてくるであろう。無信邪見なる母は子供に衣食住等における享楽的孝行を強い、念仏の親は、ただ我が子が念仏一道に生きることをもって無二の孝道と感謝するが如くである。されば三縁の慈悲の問題は遂に人生の根本問題となるのである。

三　四無量心

慈悲喜捨

信巻御引用の『涅槃経』に、

「大慈大悲は名けて『仏性』と為す……大喜大捨を名けて『仏性』と為す」

（島地一二―七二、西二三六、東二二九）

とある。この大慈、大悲、大喜、大捨を四無量心といわれる。仏性であるから、仏菩薩の御心である。したがって本願の内容もまた四無量心であろう。我等は特に『涅槃経』に「大慈大悲は常に菩薩に随ふこと影の形に随うが如し　一切衆生畢に定んで当に大慈大悲を得べし　是の故に説きて『一切衆生悉有仏性』と言へるなり」とある文を信楽釈の直後に引きたまいし聖人の御意を思うものである。他力の大信心は四無量心によって成ずること、したがって大信心は仏性そのものであることを立証せんとせられるのであろう。『涅槃経』の大問題たる一切衆生悉有仏性論も、具体的には、他力本願の回向の信心、それにより得る大涅槃の証によってはじめて成就せられることを示されるのであろう。

仏性は大慈大悲大喜大捨の四無量心である。したがって仏心とは実に四無量心である。

大慈大悲

『智度論』巻二十七には、

「大慈与㆓一切衆生楽㆒大悲抜㆓一切衆生苦㆒大慈以㆓喜楽因縁㆒与㆓衆生㆒大悲以㆓離苦因縁㆒与㆓衆生㆒」（大慈は一切衆生に楽を与え、大悲は一切衆生の苦を抜く。大慈は喜楽の因縁を以て衆生に与え、大悲は離苦(りく)の因縁を以て衆生に与う）と説かれる。かくの如く慈は与楽(よらく)、悲は抜苦(ばっく)というのが普通の解釈であるが、時にはこの反対に与楽を悲、抜苦を慈といってある場合もある。つまり慈悲とは抜苦与楽(ばっくよらく)である。

辞書を見ると慈という文字は、「いつくしむ。柔和」という意であり、また「恩愛す。和(やわ)らげ服(したが)わす」とある。つまりなさけ深いあたたかな心、あわれみはぐくむ心である。それはちょうど春の温かさが全ての草木をして芽を出さしむるが如く、一切衆生をつつみ抱いて育てて下さる温かい仏心そのものである。いかに正義であり、真理であってもこの温かな柔らかな心でないならば人の心を和らげて悦服(えっぷく)せしめることは出来ぬであろう。誠に大慈の故に、慈悲されるものの運命を慈悲する者の世界まで育て上げられるのである。

次に悲という文字は、「いたむ、かなしむ、あわれむ、恩をほどこす」とあり、衆生のすがたに対して痛み悲しむ心である。親は不孝な子について悲痛し、如来は業苦流転の衆生に対して悲痛したもう心である。であるから大慈が衆生を高めようとする心であるのに対して、大悲は衆生の低きに泣く心である。大悲は悲しき運命に同ずる心であり、大慈はそれを育ててともに幸福ならんとする心である。大慈は自らの運命の中に彼を発見する心であり、大悲は彼の運命の中に我を発見する心である。であるが故に『智度論』に「夫言レ悲者意存ニ饒益一善順ニ物情一」（夫(そ)れ悲と言うは、意饒益に存し、善く物の情に順(したが)う）と言われるのであろう。

彼の運命に随順しつつしかも饒益せんとするのである。饒益せんとするは実に大慈であるから、悲には慈を、慈には悲を互いに含んでよく抜苦与楽するのである。

さらに先の論の「大慈は喜楽の因縁を以て衆生に与え、大悲は離苦の因縁を以て衆生に与う」と言われる言は味わわなくてはいられない。喜楽の因縁、離苦の因縁を与えられるのが大慈悲である。苦悩にあり闇にあるのは因縁が悪いのである。因縁によらずしては喜楽を得ることも苦悩を離れることも出来ない。因縁に泣く子をして因縁を喜ばしむるには、具体的にはどうされることであろうか。それは誠に真実の教えを聞信することの出来る因縁を与えられることであろう。真実教に遇うことなくしては真実の喜楽の因縁を得ることは不可能である。念仏は誠に如来の大慈悲による離苦の因縁であり、喜楽の因縁の成就である。

『智度論』巻二十には三縁の慈悲を結んで、

「譬如下給二賜貧人一或与二財物一或与二金銀宝物一或与中如意真珠上。衆生縁法縁無縁亦復如レ是」（譬えば貧人に給賜するに、或いは財物を与え、或いは金銀宝物を与え、或いは如意真珠を与うるが如し。衆生縁・法縁・無縁も亦復是の如し）

と言われる。譬えば衆生縁の慈悲とは、貧しい人に財物を与えるが如くである。今現に食に飢えている人に御飯を与え、寒さにふるえている人に衣服を与えるが如きものである。次に法縁の慈悲とは金銀宝物すなわちお金や宝を与えるようなものである。金銀宝物があれば何でも必要なものを買い取ることが出来る。然るに第三の無縁の大慈悲は、これを如意宝珠を与えるが如しといわれる。如意宝珠は意の如く何でも求めるものを出すことの出来る宝珠である。財物は直ちに失われ、金銀宝物も尽きる時があるが、如意宝珠は限りなく財物でも金銀でも出して尽きることがない。如意宝珠とは実に、正法であり、大行であり、大信である。真実の教行信証すなわち往生即成仏の因果を与えられたことである。念仏は如意宝珠である。「無限なる喜楽の因縁」が成就されたのが念仏である。人はこの如意宝珠を捨てて、金銀宝物に走り、さらに金銀宝物をすてて、直接に財物に手を出す。永久に貧苦なる所以である。よろしく如意宝珠たる大悲誓願回向の念仏にさめねばならぬ。

大喜大捨

『智度論』巻二十にいわく、

「四無量心者　慈悲喜捨。慈　名愛念衆生常　求安穏楽事以饒益　之。悲　名愍念衆生受五道中種々　身苦心苦。喜　名欲　令　衆生　従楽　得歓喜。捨　名捨三種心但念　衆生不憎　不愛」(四無量心とは慈悲喜捨なり。慈は愛念衆生に名づく。常に安穏楽事を求め、以て之を饒益す。悲は愍念衆生に名づく。五道中種々の身苦心苦を受く。喜は衆生をして楽に従い歓喜を得令んと欲するに名づく。捨は捨三種心に名づく。

但衆生を念じて憎まず愛せず)。

大慈大悲について今ここには、大慈を愛念衆生、大悲を愍念衆生といわれるが、大体前に述べた如くである。次に大喜を釈して「喜は衆生をして楽に従い歓喜を得しむるに名づく」といわれる。これによれば喜とは、衆生の離苦得楽を見て喜びの心を起こすことである。すなわち他の幸福を見て己が喜びとする心であるから、大慈大悲と別なものではない。大慈大悲の行ぜられるところには必ずなくてはならぬ心である。この大喜は時に随喜といわれる。他の善を見てこれを喜び、自己が善を行ずると同じくこれを喜び敬うことのできる心である。この心を凡夫は持たないのである。他の幸福を見てはこれを嫉み、他の善を見てはこれを謗って随喜しない。それ故に無功徳の悪人となるのである。そこで大喜を成ぜんとすれば次に「捨」を成就しなくてはならない。「捨は捨三種心に名づく。但衆生を念じて憎まず愛せず」と説かれる。三種心を捨てるとは、慈無量心、悲無量心、喜無量心の三種の心を成じて、しかもこれを捨てて心に執着しないことである。慈悲して慈悲を忘れ、大喜して喜を忘れた心である。そこで「但衆生を念じて憎まず愛せず」といわれる。つまり愛憎の心を捨てたのが捨である。

これを思うに、大慈大悲は一切衆生を真に生かし育ててゆく心であり、大喜はこれを唯一の喜びとする親心であり、大捨はその成就せる物を所有しようとする愛着を捨てた心である。喩えば太陽はすべてを育てて花を咲かせつつ、これを折り取ろうとはしないが如くである。然るに凡夫は物を愛し、愛するが故に憎む、誠に「愛憎違順することは　高峯岳山にことならず」（『正像末和讃』）（島地一一―三三、西六〇一、東五〇二）である。貪愛瞋憎の水火二河は、生まれおちてより寿　終わるまでついにこれを捨てることが出来ないのが凡夫である。捨がないから喜がなく、喜が無ければ慈悲二心もまた無い。であるから、この大慈大悲大喜大捨の四無量心は、一を真に成ずれば他の三心は必然に具足するのであり、もし一を欠けば他の三もまた無いのである。されば『智度論』には、

「若し慈を説かば即ち已に悲喜捨を説く。復次に慈は是れ真無量なり。慈は王の如く余の三は随従すること人民の如しと為す。所以は何ん。先ず慈心を以て衆生をして楽を得しめんと欲するに、楽を得ざる者有るを見るが故に悲心を生ず。衆生をして苦心を離れ法楽を得しめんと欲するが故に喜心を生ず。三事の中に於いて無憎無愛無貪無憂の故に捨心を生ず」

と説かれる所以である。誠に四無量心はそのまま唯一の仏心そのものである。この四心によって、無量の衆生を縁じて無量の福を引くが故に、四無量心といわれるのである。四無量心は我等一切衆生にはない。無ければ無功徳の悪人愚者である、必ずこれを得なければならない。今我等はこの『涅槃経』の四無量心の文を信巻信楽　釈の教証として引きたまいし聖人の御意を思うことである。

四　大慈悲の表現

大慈悲即本願

我等は如来の大慈悲によって救われる。しかし具体的には、大慈悲の本願によって救われるのである。大慈悲は必ず本願となって具体化せられるのである。大悲即本願、本願即大悲、「大慈悲の本願」といえば、大慈悲から顕れた本願、「大慈悲すなわち本願」といえば、大慈悲とは事実本願よりほかないことになる。大慈悲は必ず本願である。本願でない大慈悲は大慈悲ではない。それとともに本願でない大慈悲は大慈悲ではなくて小慈悲である。大慈悲は誓願であり、誓願は大慈悲である。したがって本願は大慈悲の表現である。大慈悲はいかに表現せられ、いかに展開せられ、いかに成就せられるのであるか。これに答えるものが教えである。我等は教えを聞かなくてはならない。教えを聞くことはすなわち大悲本願を領解することである。

『大無量寿経』の別序には「如来無蓋の大悲を以て三界を矜哀す　世に出興する所以は道教

を光闡し　群萌を救ひ恵むに真実の利を以てせんと欲してなり」（島地一―七、西九、東八）とあり、この文によれば、世尊が世に出でて本願の名号を説きたもうことそれ自体が、無蓋の大慈悲そのものの現われである。

聖人は教巻に「斯の経の大意は　弥陀　誓を超発して広く法蔵を開きて　凡小を哀んで選んで功徳之宝を施すことを致す　釈迦　世に出興して道教を光闡し　群萌を救ひ、恵むに真実之利を以てせんと欲す」（島地一二―三、西一三五、東一五二）と説かれた。弥陀は本願を超発して真実功徳を衆生に回施せんとし、釈迦は世に出興して、光闡道教と聖道門を説いて時機を調熟し、やがてこの経を説いて恵むに真実の利すなわち本願の名号をもってせんとせられると説かれる。次に経の宗体を決して、「是を以て如来の本願を説くを経の宗致と為す、即ち仏の名号を以て経の体と為るなり」といわれる。『大経』が唯一の真実教と決判せられる所以がここにある。弥陀の本願を開顕することを経の宗要すなわち生命とする。それ故に言々南無阿弥陀仏の名号それ自体である。すなわち如来真実の招喚名告りである。釈迦の教説でありつつ弥陀の本願名号そのものの表現である。二尊一致の真実教そのものである。

我等はこの真実教によってはじめて本願を信楽し、大慈悲を感得することが出来るのである。すでに慈悲は感得するものであるといったが、大慈悲を感得することのできる眼を開くものこそ教えである。本願名号を聞くことによって、本願名号を領解感得するのである。

仏と衆生

「設ひ我仏を得んに　十方の衆生　至心に信楽して我が国に生れんと欲し　乃至十念せん
若し生れずば　正覚を取らじ」（島地一―一六、西一八、東一八）

いうまでもなく如来の王本願としての第十八願文である。大慈悲の回向表現としてのこの本願の文字を、こと新しく頂くこととする。「設我得仏」は法蔵菩薩の願、『大経』において「不取正覚」の文字とともに四十八願ことごとくに見る言である。十方衆生とは、「『十方衆生』といふは十方のよろづの衆生といふなり」（『尊号真像銘文』）（島地一七―一、西六四三、東五一二）。生きとし生けるもの、諸有の衆生、迷いの衆生、生死するもの、有限なるもの、罪業深きもの、煩悩具足の凡夫、無明の海に流転するもの、言は変われども如来の本願によって救われずば、光なきもの、道なきもの、自覚なきものである。すなわち聖人が信巻三心釈において三度「一切群生海は」とのたもうものである。これやがて如来本願海の対象界であり、本願の回向顕現するところの大地であり、本願の蓮華の開敷すべき淤泥であり、本願の光の光被し摂取せんとする千古の黒暗である。

実に十方衆生こそは、その久遠の無明によって業苦に傷つき、限りなく罪悪生死にあって自らの罪悪生死を如何ともする能わざるものである。然るにこの一切群生海をつつんで、その苦悩を自らの運命とするものすなわち大慈悲である。我等有限なる者は、他への運命の共感を持たない。私には運命の共感の能力がない。省みれば省みるだけ、運命の共感の能力がない。このこと一つだけで無限の罪業が発生する。大慈悲とは実に無限の運命の共感の能力である。一切衆生の運命すなわち弥陀の運命である。法蔵菩薩とは誠にかくして久遠実成の弥陀が、その弘願大船上に一切衆生を満載し、つつみ、大悲同感したる従果向因の名である。如来なるが故に菩薩となる。従果向因して菩薩とならざるものは仏ではない。仏なるが故に菩薩となり、菩薩なるが故に仏と成らんと誓う、畢竟、「設我得仏」とは、仏が仏にならんとの願である。願とは、仏が仏になり、我が我となることである。この仏の本願がやがて我等の上に生きてもまたそうである。人を誠に人にし、男をまことに男にし、女をまことに女となし、我をついに我たらしめたもうのである。それ故に願は純化せられることによって必然に成就するのである。今、「設我得仏十方衆生」と、如来の願は十方衆生を抱いての願である。十方衆生がなければ如来の本願はない。衆生の無明の大夜は実にかくして本願生起の大因である。際しなき無明生死の大海の展開は、同時にまた如来本願海の展開の唯一の因由であった。設我得仏の仏は南無阿弥陀仏、一つ南無阿弥陀仏が仏にあっては正覚、衆生にあっては往生、正覚即往生、衆生はやがて名号を聞信して往生成仏するのである。

仏の誓い

「設ひ我仏を得んに　十方の衆生　至心に信楽して我が国に生れんと欲し　乃至十念せん
若し生れずば　正覚を取らじ」　（島地一―一六、西一八、東一八）

「設ひ我仏を得んに　十方の衆生」とは法蔵菩薩の願、成仏の願、十方衆生の流転の運命を抱いての阿弥陀仏の願、名号成就の願、仏なるが故に仏に成らんとする願であることを述べた。然るにこの本願文の終わりに、「若し生れずば　正覚を取らじ」と誓われた。『尊号真像銘文』に「『若不生者』はもしむまれずばといふ言なり　『不取正覚』は仏に成らじと誓ひたまへる御のりなり」（島地一七―一、西六四四、東五一三）と解釈せられた。若不生者不取正覚とは仏の御誓いである。仏の御誓いは若不生者の御誓いである。十方衆生がもし浄土に生まれずば正覚は取らない。ここにおいて設我得仏は願、不取正覚は誓、十方衆生は弘、十八願を本願といい、弘願といい、弘誓願といい、本弘誓願とよばれる所以である。

「若不生者不取正覚」とは誠に如来の御誓いである。十方衆生がもし生まれずば正覚を取らずとは、十方衆生の無明流転の運命を我が運命と大悲同感したもう仏が、それ故に衆生が、浄土の大衆となり、往生成仏するに非ずば仏の正覚は成就しないのである。親の運命は子の運命によって決する。子がもし苦悩すればそれ自体親の苦である。子がもし助からずば親は助からない。願の自利成就は誓いの利他成就である。利他成就せずば自利成就せず、自利就成せずば利他成就はない。願作仏心は度衆生心により、度衆生心は願作仏心によりて成ぜられる。この自利利他一如の具体化こそ本願名号である。若不生者不取正覚とは、まさしくかくのごときの大悲真実を表現する唯一の言である。

本願の三心

然ればかくの如き誓願はいかにして成就し、いかなる相において実現せられるのであるか。これを『大経』によって頂けば、仏の誓願は法蔵菩薩の兆載永劫の修行によって成就せられると説かれる。兆載永劫とは無限の時、永遠の時である。永遠を貫くものは真実である。乃至一念一刹那も真実ならざることなく、清浄ならざることなき真実のみが本願の能成者である。真実、真実とは誠に如来である。如来とは誠に真実である。然るに今、十八願文には、至心、信楽、欲生と誓われた。この至心、信楽、欲生の三心を本願の三信、または本願の三心といわれるものであるが、これこそ先にいうところの「真実」の具体的表現である。長時永劫永遠の時を、三心によって修行成就して、南無阿弥陀仏の名号を成就したもうたのである。本願の三心は能成の真実心であり、名号は所成の果徳の全てである。三心は能成の因、名号は所成の果、本願や名号、名号や本願、本願を離れて名号なく、名号を離れて本願はない。したがって本願の三心は名号の内的光景であり、名号は本願の表現である。

実に至心信楽欲生我国なる八文字こそ、如来久遠の大悲真実の具体的表現である。我が聖人をして『御本典』に信巻を書かしめたのもこの大文字であった。我等の終生かかって頂くべきものもまたこの三心、体解感得すべき最勝真妙不可思議の唯一絶対の大文字である。三心をおいてほかに本願なく、大悲なく、真実はない。如来心とは本願の三心である。然るに我等、聞其名号信心歓喜と真実教を聞いて、捨つべきを捨て、壊すべきを壊しきって、その底に現われる信心の自覚もまた三心即一心の信楽である。かくして三心は、無限にして絶対なる如来大悲真実の表現であるとともに、我等衆生の信心の具体的相である。これすなわち絶対他力の宗教の本質である。であるから漸を追って詳述する。

乃至十念

「至心に信楽して我が国に生まれんと欲し、乃至十念せん……」と、三心に継いで乃至十念と誓われた。至心信楽欲生の三心は要するに信であり、乃至十念は行である。つまり信と行とを誓われたのである。

『尊号真像銘文』に「『乃至十念』と申すは如来の誓の名号を称へんことを勧めたまふに遍数の定まりなき程をあらはし、時節を定めざることを衆生に知らせんと思召して、『乃至』の言を『十念』の名にそへて誓ひたまへるなり」(島地一七—一、西六四四、東五一三)と説かれてある。乃至という言は、数を示す時五本乃至十本というように、一定しない場合に使われる言である。然るに今は下を示し上を略して乃至十念と誓われたのである。本願の文字であるから如来の大慈悲の表現された文字でなくてはならない。十念とは『唯信鈔文意』に「『十念』といふはただ口に十遍を称ふべしとなり」(島地二〇—一二、西七一七、東五五九)とあって南無阿弥陀仏と口に念仏を称えることであり、「念と声とは一つ意なり、念をはなれたる声なし、声をはなれたる念なしと知るべし」(同右)。すなわち念声是一を示されたのである。これ善導、法然、親鸞の三聖一貫の御示しである。

であるから、乃至十念とは、名号を称えよと誓いたもうに、その遍数と時節とを限定せざることを示されたのである。念仏の数の多少はその根機と寿命の長短によるのである。根機の立派な人はよく念仏するし、根機の劣った者は数が少ない。如来は数を条件に誓われたのではない。いかなる衆生をも救わんとの大慈悲が、念仏の易行を回向して、いかなる衆生をも救わんとせられるのである。聖人が『一念多念証文』に、一念多念のあらそいを取り上げて様々に『御文』を引いて後「これにて一念・多念のあらそひあるまじきことは推し量らせたまふべし

浄土真宗のならひには『念仏往生』と申すなり、またく『一念往生』・『多念往生』と申すことなし、これにて知らせたまふべし」(島地一九—一一、西六九四、東五四五)と説かれたことは

明らかに頂戴すべきである。「浄土真宗のならひには念仏往生と申すなり」。念仏は如来救済の誓願であって、救いの条件ではない。救済それ自体である。大慈悲の具体的顕現そのものである。「ただ念仏して弥陀にたすけられまいらすべし」、これが『歎異抄』二章における法然上人の教えの全てであり、「よき人の仰せを被りて信ずるほかに別の子細なきなり」が親鸞聖人の領解の全てであった。然らば信と行とはいかなる関係があるのであるか。

信と行

本願の御誓いは「至心信楽欲生我国」の信と、「乃至十念」の念仏行と、つまり信と行との回向にあることを示されたのであった。至心信楽欲生の三心は信楽の一心を開かれたもの、つまり信心の徳義が三心である。そのことは後に述べる。三心即一心の信心である。乃至十念は、称名念仏の行である。そこで信と行とが本願の御誓いの具体相である。信心決定して念仏申す、念仏申すままが信心決定、それがそのまま本願の回向表現である。

今本願文には、信行次第となっている。然るに『御本典』には教行信証とあって、行信次第となっている。これは何故であろうか。これは回向する仏辺に約せば行信次第し、回向を領受する衆生の立場においては信行次第するのである。すなわち行者にとっては、教えを聞いて信ずるのであり、信じてすなわち称えるのである。しかし教えを聞くとは、聞其名号と名号のいわれを聞き開くのである。そこで教行不二と申して教えはそのまま行である。
名号によって成道せる諸仏の名号の讃嘆こそ真実教である。これを現わせるもの十七願諸仏称名の願である。この十七願界における、「無量寿仏の威神功徳不可思議なるを讃嘆したもう」、其の名号を聞いて行者は信心歓喜するのである。十七願諸仏称名之願によって名号の大行を開きたもうのが今家独特の法門である。

すなわち十方諸仏は全て南無阿弥陀仏の名号であり、釈尊も南無阿弥陀仏、七高僧も南無阿弥陀仏、聖人も南無阿弥陀仏、同行善知識全て名号六字、一一がみな南無阿弥陀仏、全てが一南無阿弥陀仏、この十七願海の春爛漫の花の中に包まれて、はじめてこれを内に受け取って十八願の信心となるのである。客観界には十七願、主観界には十八願、十七願を離れて十八願なく、十八願を離れて十七願は無い。これを二願不離、行信不離不二というのである。十七願が名号の大行、この十七願の名号が三国七祖の上に歴史的事実として展開されており、この名号の巨流を受け取られて、親鸞聖人の上に十八願の信心となり行となる。この信心の智慧がかえって、三国七祖の伝統歴史を発見せしめたのである。

かくして、教えはそのまま行である。教行不二であるが故に、教えを受けとることはそのまま名号の大行を受け取ることであって、行者の上に信を成就し乃至十念の念仏行を成ずるのである。宗祖はこの十念の念仏行をそのまま十七願の上に見られたのである。すなわち一度称うれば称うるままが十七願海へ入るのである。諸仏の行を行ずるのである。「大行とは　則ち無碍光如来の名を称するなり」（島地一二―六、西一四一、東一五七）と、行巻の巻頭に具体的なる行相を示されたのであるが、称名行のままが十七願の大行である。

かくして久遠の大慈悲は名号の大行となって法界に具体的となるのである。名号とは誠に本願の具体化、本願は大慈悲の自己形成、大慈悲はついに名号の大行となって自らを無善造悪の衆生界に回向表現したもうのである。

回向の物体

『一念多念証文』に「至心回向」を釈して「『回向』は本願の名号をもて十方の衆生に与へたまふ御法なり」（島地一九―二、西六七八、東五三五）と言われる。これ如来の回向の物体はただ名号の大行以外にないことを示されるのである。行巻には、「謹んで往相の回向を按ずるに大行有り大信有り」といわれ、信巻には、「謹んで往相の回向を按ずるに大信有り」と著されてあるが、先に述べるが如く、行信不離不二であるから、名号の大行を除いてほかに信心の体があるのではない。火を離れて、熱いという感じはない。身に焼きついて熱いのは火にその力があるのである。身から出たのではない。名号のほかに信の体はない。信は衆生の機の事実である。衆生衷心の信心歓喜である。足を運んだのも苦しんで求めたのも、ついに聞き開いて信心決定して、あるいは喜び、あるいは泣き、暗い胸が明るくなった、苦しかった心が楽になった等々、全て行者自身の衷心の願心となって開いてきた、まごう方なき衆生の主観的事実でありながら、しかもこれを回向といわれるのは、大行の回向以外に大信はないからである。名号の大行を受領したのが、すなわち衆生の信である。故に『一念多念証文』に「本願の名号をもて十方の衆生に与へたまふ御法なり」と仰せられるのである。梅の回向の外に酸味の回向はいらない。酸いというのは舌である。しかし舌から出た酸味ではない。

大行は法、大信は機、如来は衆生の機を成じたもう。大信心こそ行者の正銘真実の心である。私が私の心と思う心よりも、より本質的な心、貪欲よりも、瞋恚よりも、もっと根本的な私の心である。我等は念仏の人において、ほんとうの人に会うのである。三毒は我と自ら発こしつつ我を苦しめる嫌な心、信心は発これば発こるほど満たされ喜ぶことの出来る明るい心である。如来の教法はかくして衆生の機を成じたもうのである。故に信は衆生の機でありながら回向といわれる。この信いよいよ純粋無雑であればあるほど、そのまま大行界裡の事実である他力である。大行は法、大信は機、機法その体ただ南無阿弥陀仏の大行、この大行の回向そのままの大信である。故に行信ともに如来回向、法体成就というと雖も、今日は大行を、明日は大信をというが如き二つのものがらではなくて、大行を回向するところすなわち機において信となる。これを信ずる心も回向といわれるのである。故に行には必ず信を孕み、信には必ず行を具足するのが真実本願の宗教の世界である。

行信行

すでに回向のものがらは名号より外にはない。名号を説ける教えを受け取ることがそのまま信である。即ち如来にあっては行信の次第となることを述べた。然るに、本願文に至れば、それが三信十念と信行次第となっている。これ衆生にあっては、名号の大行を聞其名号信心歓喜と受け取って信心を成就し、その信心はそのまま念仏行となって現われてくるのである。すなわち信行次第するのである。そこで行信次第に機に領受し、やがて信行次第に流出する宗教の全き相は、行信行（ぎょうしんぎょう）となるのである。

初めの行は『六要鈔（ろくようしょう）』に所行能信といわれるところの所行であり、また所信であり、後の行は衆生の能行である。所行そのまま能行、この所行そのまま能行、能行そのまま所行こそ、行巻に示されたる大行である。

「大行とは則ち無碍光（むげこう）如来の名を称するなり」　（島地一二―六、西一四一、東一五七）

称二スルナリ無碍光如来ノ名一ヲ、すなわち称名である。十八願の乃至十念の報恩行としての称名である。しかし称名は行者の口に出る単なる声ではない。無碍光如来名を称えるのである。それ自体独立する無限絶対なる無量寿如来の名号である。然るにこの称名は、これを口にせんとすれば幼児と雖も可能であり、嘲笑的にでも口にすることが出来るが故に、これを称えるということに何等の価値を認めない称名となりやすい。

然るに、称無碍光如来名の大行であって、称えることによって具体的に衆生の能行とはなるが、無碍光如来名に重点をおいて称無碍光如来名を見れば、実在そのままの如来である。所謂(いわゆる)名体不二(みょうたいふに)の真実在、価値（名）即実在（体）の名号そのままの顕現せる称名である。我(わ)が上に具体化された称名そのままが所行所信の大行である。であるから、行巻は信巻が為の所信であるといわれつつ、衆生の乃至十念の称名をそのまま十七願にとり来たって「大行とは無碍光如来の名を称するなり」と能行そのものを十七願所行位にあげて示されるのである。

他力宗教の原理

多くの聞法者たちにとっては、本願を信ずるということはわかっても、信の上に何故に念仏しなければならないかという疑問がおこるようである。これは全く行信行の次第がわからないためである。すなわち大行たる如来の名号を離れてはついに何ものもないのである。『大無量寿経』、すなわち真実教の全ては、言々名号より出で、言々名号に納まるが故に、一字一字名号であり、一句一節みな名号そのものである。円(まる)い輪の何れの点をおさえても、輪そのものであり、初めにして終わりであるが如く、一字に全体を収め、一言に全体を顕現する。然るを願と言えば行を忘れ、智慧と言えば慈悲をきりはなし、真実と言えば清浄とは別に思われ、功徳荘厳と言えば如来をぬきにするが如きは、ついに自力無明の疑惑、凡夫の邪智の致すところである。本願と言うも全てであり、慈悲と言うも全てであり、ついにいかなる言々句々も全体を収む、この全一なる体徳すなわち名号である。故に、名号をもって経の体とすと言われるのである。かくて昼夜百千万劫説かれると雖も、ついに一名号よりほか何ものもない。

名号こそ彼岸の全てであり、如来の身代限りであって、絶対無限なる如来浄土のこの世にあって下さる唯一の相（そう）である。もし名号の宗教でなかったならば、それは畢竟（ひっきょう）哲学にすぎない。百千の教説は、教説のまま記憶し持（たも）たれなくてはならない。然るに名号の宗教なるが故に、百千万の教説も南無阿弥陀仏の一名号として念持せられるのである。これすなわち、名号の宗教、易行の宗教、回向の宗教の成立の原理である。

「弥陀の本願と申すは『名号を称へん者をば極楽に迎へん』と誓はせ給（たま）ひたるを深く信じて称ふるがめでたきことにて候ふなり」（『末燈鈔』）（島地二一―一〇、西七八五、東六〇六）

この聖人の御文の前半、「名号を称へん者をば極楽に迎へん」までは誓願を説かれたものであり、「深く信じて称ふる」とは衆生の信と行とを示されたものである。すなわち、本来弥陀の本願なるものが、「名号を称へんものをば極楽に迎へん」ということであるが故に、本願を信ずるとは「名号を称えてくれ、名号を称えてくれるならば、浄土に往生する。もし名号を称え往生しないならば、正覚は取らない」というのが如来の誓願である。かくて念仏は大悲誓願の行である。大慈悲の具体的表現は念仏であったのである。

であるから、本願は信ずるが念仏は称えないということは無意味である。その信ずる本願が「名号を称へん者をば極楽に迎へん」という本願なるが故である。かかる本願を「深く信じて称ふるがめでたきことにて候ふなり」。かくて今の文こそは、「名号を称へん（行）者をば、極楽に迎へんと誓はせたまひたるを深く信じて（信）、称ふるが（行）めでたきこと」と行信行の次第が示されたのである。

一実真如の功徳大宝海たる名号の大行は、衆生の聞名を通して、久遠劫来の我執、疑惑、自力の岩を粉砕し円融して大信を成じ、ついに、そのまま口業に顕れて念仏称名となる。説けば行信行と言うといえども、唯これ名号の大行のほか何ものもないのである。この故に行には必ず信を孕み、信には必ず名号念仏を具するのである。

本願成就文

本願の文については更に詳説しなければならないが、私は順序上、本願成就文について頂くことにする。

十八願成就文に言わく、

「諸有の衆生　其の名号を聞きて　信心歓喜し　乃至一念せん　至心に回向したまへり
彼の国に生れんと願ずれば　即ち往生を得　不退転に住せん　唯五逆と正法を誹謗せんと
をば除く」
（島地一—三九、西四一、東四四）

右の文は所謂、十八願成就文であって、如来全一の功徳を衆生のものにして頂くたった一つの相、たった一つの道である。本願が弥陀仏の領域であるに対すれば、本願成就文は、釈迦諸仏の世界である。

諸有衆生とは、本願文の十方衆生である。諸有とは、有とは迷い、諸有は三界六道の迷いの世界、また諸有をあらゆると読めば全ての衆生のこと、そこで諸有衆生とは、迷いにある十方一切衆生のこと、『一念多念証文』には「『諸有衆生』といふは十方のよろづの衆生と申す意なり」（島地一九—一、西六七八、東五三四）と釈せられた。誠に十方衆生こそ、無条件に仏の大慈悲によって救われ、大悲本願によって覚醒して真実信心に生かされ、それによって、如来荘厳浄土の大願に帰入し、やがて如来の内眷属として浄土の菩薩たるべきものである。如来はその本願において、「設い我仏を得んに十方衆生よ」とよび、今、成就文においては直ちに諸有衆生と示されるのである。

聞其名号信心歓喜

「諸有衆生、其の名号を聞いて、信心歓喜し、乃至一念せん」

聞其名号……其の名号を聞く、これこそ一切衆生の助けられてゆく唯一の道である。龍樹、天親の二菩薩をはじめとして、七高僧も親鸞も、全ての聖賢は勿論、億々の念仏の諸大士は悉く、この聞其名号によって生まれて来たのである。

名号を聞くとは、名号のいわれを聞くのである。名号のいわれとは、総じていえば四十八願、別していえば十八願、この本願こそは名号の内的光景であり、如来大悲の因相である。であるから、聖人は『一念多念証文』に釈して、「『聞其名号』といふは、本願の名号をきくとのたまへるなり『きく』といふは本願をききて疑ふなきを聞といふなり　また、『きく』といふは信心をあらはす御法なり」（島地一九―一、西六七八、東五三四）と仰せられた。名号を聞くとは、本願を聞くことであり、聞いて疑う心なく信ずることを聞というのである。

次に聞其名号の其とは何を指すのであるか。それ『大経』下巻の文を見ると、この成就文の前に、いわゆる十七願成就文がある。言わく、

「十方恒沙の諸仏如来は、皆共に無量寿仏の威神功徳不可思議なるを讃嘆したまふ」（島地一―三九、西四一、東四四）と。

それに引き続いて「諸有の衆生、其の名号を聞いて」と出て来るのである。聞こうとすれば説かれてあらねばならない。その教えの聞こえて来る本（もと）を、十七願諸仏称名（しょぶつしょうみょう）の願といわれるのである。十方諸仏を諸仏たらしめ、諸仏によって称えられ讃嘆されているところの、その具体的なる名号、人格の上に具体的なる名号を聞くのである。

十七願と十八願

聖人は『御本典』において教行信証の法門を開宗したもうに当たって、行巻をばこの十七願によって開きたまい、次の信巻をば十八願をもって開きたもうたのである。『大経』の翻訳家は四十八願を説くに当たって何食わぬ顔で願を羅列し、下巻において成就文を出すに当たって唯今述べたが如く、十七願成就文と十八願成就文とを「其の名号」と指摘することによって、二願の不離を示し、後世、人有って真にこれを読破するに委せた。果たせる哉、我が聖人に至って、二願不離、行信不離の法門、真宗念仏の論理を建立せられた。

奏でられない音楽を聞くことは出来ない。説かれない法門を聞くことは出来ない。十七願界において讃嘆せられるその名号を、沈黙して聞くところに自ら（おのずから）十八願海は開けて来る。このことについては、既に信と行との関係を述べた時にいったが如く、釈尊、七高僧、億々の念仏の行者、全て南無阿弥陀仏の名号であって、客観界は十七願、それをそのまま主観界に受け取って十八願、十八願が拝む客観界が十七願、いかにして受け取るか、聞其名号信心歓喜と受け取るのである。

憶うに必堕無間と堕落に堕落をつづけたる人類は、決して哲学的思弁や、瞑想によって救われるのではない。五濁悪世の様相を少しくらい、模様変えしたくらいで救われるのではない。地獄一定のありのままが、「親鸞におきてはただ念仏して弥陀にたすけられまいらすべし」と、……全我を賭して大信心海に入ることが出来たのは、それは本願名号に生ききったよき人、法然上人の在したが故である。真人格と、それより流れ出る教説への絶対信順の契機なくしてどうして「親鸞一人がため」という大決断に至ることができよう。十七願界無視の念仏は、抽象孤立、独断偏見の迷情にすぎない。

信心歓喜

「聞其名号　信心歓喜　乃至一念……」

聞其名号、名号に内在する本願の謂われを聞くこと、それより外に一切衆生の助かる道はない。すなわち『大無量寿経』、真実の教えを聞くことが、一切衆生の救われゆく唯一の道であることを頂いた。「『きく』といふは本願をききて疑ふなきを聞といふなり。また、『きく』といふは信心をあらはす御法なり」（『一念多念証文』）とあり、真に聞いたとは信ずることである。

所謂、聞即信である。教主のみ教えを聞くままが弥陀の本願を信ずるのである。信心とは帰せよとの教命のままに順(したが)い申すのである。

「『帰命(きみょう)』は即ち釈迦・弥陀の二尊の勅命に順(したが)ひ召(めし)にかなふと申す語(ことば)なり」（『尊号真像銘文』）（島地一七—六、西六五六、東五二二）、誠に聞くとは、信順することである。二尊への信順そのままが白道(びゃくどう)である。無条件にみ教えを頂くのである。み教えは無限なる如来そのままのみ声である。故にみ教えを拒む者は大慈悲を拒む者である。最も直接なる大慈悲はみ教えである。「聞其名号信心歓喜」は大慈悲の具体化、大悲回向の全貌である。聞其名号すなわち大慈悲である。

「或る時、一連院秀存(いちれんいんしゅうぞん)師が香樹院(こうじゅいん)の御客になって酒など頂いていた。香樹院師は法義の話を出されて言(いわ)く、『凡(およ)そ人々は我が心中をこしらえることにかかりておる故、その心中はこしらえものである。教える人もただ理屈のみ教えて造ることに骨を折るのである。唯(ただ)、信心とは聞其名号信心歓喜の八字をわが腸(はらわた)とするばかりであるのに、そう思う人が甚だ少ないのは残念である』と。すると、秀存師が『唯(ただ)仏の力一つにて助け給うぞと信ずる外に聞其名号という事もなしと聴聞致しております』といわれると、師言く『それでよし、それでよし』」（秀存語録一一〇則）

信心歓喜とは、誠に流転の子が、今、生々世々の初事に、真実、真実大悲に遭遇したのである。運命の一大転回の時が来たのである。無限の如来のみ、もの言いたまいて、自我の一切の計らいに何等の価値も見出せない。我にあるものは、我と我を滅ぼす無明煩悩のみであることを知って、曠劫以来の宿業の全てを無有出離之縁と信じて、大悲真実の中につつまれ、円融無碍と救いあげられる全我的なる宗教体験の全てである。

『一念多念証文』にいわく、「『歓喜』といふは『歓』は身をよろこばしむるなり、『喜』は心によろこばしむるなり、得べきことを得てんずと予てさきよりよろこぶ意なり」（島地一九―一、西六七八、東五三四）と。歓喜を「正信偈」には「慶喜一念」とあり、「『歓喜』はうべき事をえてんずと先だちてかねてよろこぶ心なり……『慶』はうべきことをえて後によろこぶ意なり」（『一念多念証文』）（島地一九―五、西六八四、東五三九）。歓喜と慶喜の一つなるところの本質的なよろこびを得るのが聞其名号信心歓喜である。真のよろこびであり、永遠のよろこびである。ここにおいて『御本典』の流通分には、

「慶しき哉　心を弘誓之仏地に樹て　念を難思之法海に流す　深く如来の矜哀を知りて
良に師教の恩厚を仰ぐ　慶喜弥至り　至孝弥重し」
（島地一二―二四、西四七三、東四〇〇）

と嘆ぜられた。大慈悲の回向表現はかかって、聞其名号信心歓喜にあり、これより外に大慈悲

もなく、如来本願もあり得ない。

乃至一念

「『乃至』は多きをも少なきをも久しきをも近きをも前をも後をもみなかねをさむる語なり『一念』といふは信心を得る時のきはまりをあらはす語なり」（『一念多念証文』）（島地一九―一、西六七八、東五三五）

この成就文の一念は信の一念である。本願文の十念は行であり、『大経』流通付属の文の「其れ彼の仏の名号を聞くことを得る有りて　歓喜踊躍し　乃至一念せん云々」（島地一―七六、西八一、東八六）の一念も行の一念である。今この本願成就の乃至一念のみが信の一念である。乃至一念の乃至は、多少、久近、前後を皆かね摂めたことばであると釈せられた。この一念こそ永遠に純粋持続し等流して願往生する信の、その初起の一念である。故に信巻末の初めには、「夫れ真実の信楽を按ずるに　信楽に一念有り　『一念』とは　斯れ信楽　開発の時剋之極促を顕し　広大難思の慶心を彰すなり」（島地一二―八二、西二五〇、東二三九）と仰せられた。一念の体性は広大難思の慶心であり、その開発の時の至極を一念といわれたのである。故に一念は一心の信心そのものである。

故に、「『一念』と言ふは　信心に二心無きが故に『一念』と曰ふ　是を『一心』と名く　一心は則ち清浄報土の真因なり」（島地一二一―八三、西二五一、東二四〇）とも釈せられるのである。噫。聞其名号、信心歓喜乃至一念とは、これすなわち行者の上に開けたる宗教生活の最初にして最後なる具体的事実の端的であるが、そのまま永遠常住にして大悲真実なる如来本願の、生死界への回向顕現にほかならないのである。表から見れば、衆生の宗教的自覚であるが、裏がえせばそのまま一南無阿弥陀仏、如来大悲そのままのものである。

至心回向

「聞其名号　信心歓喜　乃至一念　至心回向……」。我が聖人はこの「至心回向」の文字を「至心に回向したまえり」と訓まれた。この訓み方は誠に古今独歩のものであった。もしこれを「至心に回向せよ」と訓んでも、「すべし」と訓んでも、全て行者の自力回向となるであろう。然るにこれを「至心に回向したまえり」と訓むことによって、如来の大悲回向を表す文字となり、浄土真宗全体の性格を決定する確固たる教証となったのである。

聖人の真宗は「回向の宗教」といわれる。往相回向、還相回向と、行者の宗教生活の一切は悉く挙げて如来大慈悲の回向表現にほかならない。浄土への往相における真実の教行信証は、全て大悲回向の具体的事実である。やがて還相大悲の活動も全て如来本願の賜物である。かくの如き回向の宗教の根源を、この成就文、至心回向の文字の上に発見したもうたのである。

聖人は何故（なにゆえ）にこの四文字を他力表現の文字と見たもうたのであるか。そもそも二回向の宗教の体系は、曇鸞（どんらん）大師の『浄土論註』の五念門の宗教によりたまい、大悲回向の意趣は、同じく『浄土論註』の三願的証（さんがんてきしょう）の法門に依りたもうことは明らかである。すなわち十八願によって信を、十一願によって証を、二十二願によって還相化他を明らかにされた、鸞師の幽意を得たもの、すなわち聖人の絶対他力回向の宗教である。今、至心回向の文字を頂きたもうに当たって、我が聖人の信眼には、これを、至心に回向せよ、とは訓めなかったのである。至心に回向したまえりとよむより外に、訓み方はなかったのである。この四文字を全我をもって体解なさったのである。

三経一論の帰結するところ、熱き如来大悲の心に徹するところ、七祖の伝統の歴史的意義の帰するところ、そもそも宗教的真理の命ずるところ、道の本質の直観されるところ、信心の智慧の体感するところ、至心に回向したまえりと訓むよりほか、ついに道はなかったのである。而（しこう）してかく訓まれることによって、今まで明らかでなかった浄土の宗教の面目は、ついにその最後の段階に入って、究竟的（くきょうてき）真実の相を顕現したのである。それがすなわち教巻巻頭の、

「謹んで浄土真宗を按ずるに　二種の回向有り　一には往相　二には還相なり　往相の回向に就いて　真実の教・行・信・証有り」（島地一二一―二、西一三五、東一五二）

との真宗の体系となったのである。

成上起下

この至心回向の四文字を『願願鈔』には「成上起下の文」といってある。その意は、成レ上ヲ（上を成ず）とは、上の聞其名号信心歓喜は、全く如来の至心に回向したまえるものであって、凡夫自力のはからいによっておきたものではないということ、名号を聞信するままが如来大悲の回向であるというのである。誠に聞其名号信心歓喜のままが大悲の具体的な回向の事実である。

更に起レ下ヲ（下を起こす）とは、下の即得往生住不退転、すなわち信因より起こる証果、名号を聞信する一念に即得往生と正定聚の位に入り、不退転に住して大涅槃の証果に至る。その全てが至心回向したまえるものであって、この至心回向によって起こったものであるとのことである。誠に若しは因、若しは果、一事として如来回向のものでないものはあり得ない。今、成就文において、この至心回向の文字が中心に位して、上、信因も、下、証果も、全く至心に回向したまえることを示す文字だといわれるのである。

本願三心と成就文

本願文に信を誓って、至心、信楽、欲生我国の三心とせられた。この三心は、この本願成就文にはどこに出ているのであるか。まず信楽の二文字が成就文には信心歓喜の四文字として開かれてあることは明らかなことである。信楽とは行者の機、真実教を聞いて開発する信心歓喜である。次に至心回向の至心とは、本願文の至心そのままであるが、本願文の欲生は成就文のいずれの文字に相当するのであろうか。古来それは、至心回向とは、至心欲生であると決定せられた問題である。本願文の欲生とは、

「則ち是れ如来諸有の群生を招喚したまふ之勅命なり」

（島地一二一—七五、西二四一、東二三二）

と信巻において釈せられ、更に衆生に真実の回向心なきことを明かされて、如来大悲は唯(ただ)回向にあることを決して、ついに、「欲生は即ちこれ回向心なり」と示された。「我が国に生まれんと欲(おも)え」との招喚はそのまま回向である。招喚より外に回向の物体はない。南無阿弥陀仏の招喚は、そのまま南無阿弥陀仏の回向である。招喚そのままが回向、正法を聞信するとは如来本願の招喚を聞くことである。名号を聞いて信心歓喜するとは、名号の招喚を聞くことであり、そのままが名号を回向されることである。

かくの如く領解する時は、至心回向とは至心欲生である。至心とは、至とは真也実也(しんなりじつなり)で、真実誠のこと、如来久遠のまごころである。大悲の真実である。真実は限りなく与えんとする。如来とは真実である。然れば如来は何を与えたもうのであるか、それは如来の全てである。如

来は如来の全てを与えたもう。如来は真実であるが故に、真実は、真実の全てを与えたもうのである。如来はその方便法身（ほうべんほっしん）の全てである本願の名号を回向したもうのである。

本願というも、名号というも、真実というも、大慈悲というも、智慧光というも、無量寿というも、全て別のものではない。全て、名号そのものである。至心回向とは、至心によりて至心を回向する。その回向を領受したままが「信心歓喜」の信楽である。であるから今の場合、至心と欲生（回向）は如来に、信楽は衆生の上に見ると雖（いえど）も、三心はそのまま一心であるが故に、信楽は至心信楽であり、欲生はやがて、行者の信に内在する願往生心となる。すなわち三心とも行者の上にあるのである。

「『欲生我国』といふは他力の至心信楽をもて安楽浄土に生れんと思へとなり」（『尊号真像名文』）（島地一七―一、西六四四、東五一三）。この御文を気をつけて拝読するがよい。まず終わりの「と思へとなり」の言を中心と見れば、この文全体が如来の招喚すなわち三心招喚の文となる。

至心信楽欲生の三信全体が招喚の如来にある。しかしもし、「『欲生我国』といふは他力の至心信楽をもて安楽浄土に生まれん」で切れば、行者の信心の上に三信はある。三信招喚の全体がそのまま三信即一の行者の信となるのである。今、成就文では、信楽を行者の上に、至心欲生（至心回向）を如来の上において説かれるのである。本願三心機受一心の趣を表するに便なるがためである。

願生彼国

「至心回向　願生彼国　即得往生　住不退転」

「諸有の衆生　其の名号を聞きて　信心歓喜し　乃至一念せん　至心に回向したまへり」

と説いてきて、次に願生彼国の文字がある。この願生彼国の文字には二つの意義がある。

一にはこの四文字は浄土門の標幟である。

二にはこの四文字は信心歓喜の異名である。

浄土門の標幟

もしこの本願成就文に、「願生彼国」の文字がないならば、到底この文は浄土門の成就表現の文となることは出来ない。次に出て来る即得往生住不退転の文も、この句の限定によりて正しい意味を持って来るのであり、上の聞其名号信心歓喜も、この文によって具体的な内容を発見するのである。すなわち信心歓喜も願生浄土の信心歓喜であり、即得往生住不退転も、願生浄土における人格の座の決定であって、聖道門における悟りの位ではなく、また一益法門におけるこの世での道の完成ではない意味が出てくるのである。

浄土門とは具(つぶ)さには、往生浄土門である。聖道門が此土(しど)入証をめざすのに対して、彼岸(ひがん)に往生し、往生の過程を通じて往生即成仏の道を生きんとするものが往生浄土門である。したがってこの願生彼国の四文字は、この往生浄土門たる所以(ゆえん)を旗色鮮明にあらわされたる、浄土門の標幟(ひょうしき)である。

思うにこの世は生死動乱の巷であり、五濁悪世であり、無明流転の闇の世である。永久に清浄(しょうじょう)と真実を失える顛倒(てんどう)不浄虚仮(こけ)不実なる煩悩具足の衆生の苦悩の旧里である。この苦、空、無常、無我なる現象界は、火宅そのものである。然るにかかる人生への価値判断は、徹底すればするほど必然的に常住清浄なる浄土を彼岸に予想せしめている。

価値は反価値と、穢悪(えあく)は清浄と、虚仮は真実と、生死は涅槃と、煩悩は菩提と、無常は常住と、矛盾は調和と、無明は光明と対立することが考えられずには、人生の真相に直面し、人生の意味を発見することは出来ない。かかる生死界の彼岸には、涅槃界たる浄土の真に実在すること、而してこの彼岸と此岸(しがん)とには往還の道路が開かれてあり、我等はこの道に生きることによってはじめて、全ての問題を根本的に解決することが可能となるのである。この人生の彼岸としての浄土なくして、その浄土の全一なる規範なくして人生生活は考えられない。この浄土の招喚摂取の原理に乗託(じょうたく)して不退転の白道(びゃくどう)にあらんとするもの、すなわち「願生彼国」の生活である。

信即願

今の願生彼国の文の次には、即得往生住不退転とあり、この即得往生の大益は、実には、信心歓喜の一念のところに得るのである。「『一念』と言ふは　信心に二心無きが故に『一念』と曰ふ　是を『一心』と名く　一心は則ち清浄報土の真因なり」（信巻末）（島地二―八三、西二五一、東二四〇）といい、また次に「金剛の真心を獲得する者は　横に五趣・八難の道を超え　必ず現生に十種の益を獲……十には入正定聚の益なり」。これら皆、信一念に即得往生住不退転の益を獲ることを示されたものである。

然るに今、成就文においては「彼の国に生まれんと願ずれば、即ち往生を得、不退転に住せん」とあって、即得往生が、信心歓喜乃至一念に結びつけていない。これはいかに考えるべきであるか。

答えていわく、信心歓喜と願生彼国とは、名は変わっても、その体は一つであるが故である。信心歓喜即得往生は、願生彼国即得往生である。すなわち、信はそのまま願である。信は願生彼国であり、願作仏心である。信が浄土に望むれば、願生彼国であり、仏に望むれば、願作仏心である。信は願を展開する。信が信自体を転じて、願とすることが出来ないならば、信は正しい信ではないのである。

仏願の信は、純粋であり真実である。全く無功利なる信、清浄真実なる信、かかる信の動的相は願である。願は彼岸に向かって尋道直進するところの白道そのものである。であるから、信はただ漫然たる信ではなく「『弥陀の誓願不思議にたすけられまゐらせて往生をば遂ぐるなり』と信じて『念仏まをさん』とおもひたつこころ」（『歎異抄』）（島地二三一—一、西八三二、東六二六）である。願生浄土における信心決定である。

善導大師は、回向発願心釈において、「回向発願して願生する者は、必ず決定して真実心中に回向したまへる願を須いて得生の想を作せ　此の心深信せること、金剛の若くなるに由りて……」（島地一二一—六一、西二三二、東二一八）と釈せられた。

「得生の想を作せ」とは、願生彼国である。この願生浄土の心において金剛の深信はあるのである。それは真実心の中に回向したまえる願、その本願力回向を須いて、須いるとは信じて決定したる深信であるが故に金剛である。金剛の心は作得生想、願生浄土の意において金剛なのである。生まるることを往生一定と決定したる信心である。であるから、信心歓喜即得往生と願生彼国即得往生とは同一である。体は一つであって、名が変わっただけである。

しかし同一だからとて、願生彼国即得往生でないならば、往生浄土門の相は出てこないであろう。東京行きの列車に乗って初めて東京行きと決定するのである。南無阿弥陀仏の大行に乗托してはじめて願生道において深信はあるのである。

信の得益

本願名号を聞いて信心歓喜する一念、その一念に「即得往生住不退転」の身となる。これは正しく信心が得るところの利益である。信のうる得益は、即得往生住不退転である。これを『一念多念証文』に釈していわく、

「『即得往生』といふは『即』はすなはちといふ、時を経ず日をも隔てぬなり　また『即』はつくといふ、その位に定まりつくといふ語なり　『得』はうべきことをえたりといふ　真実信心をうれば即ち無碍光仏の御心のうちに摂取して捨てたまはざるなり　『摂』はをさめたまふ　『取』はむかへると申すなり　をさめとりたまふ時即ち時日をも隔てず正定聚の位につき定まるを『往生を得』とはのたまへるなり」（島地一九―二、西六七八、東五三五）と。

この文を読めば、即の言に二義あることが知られる。第一義は、聞信一念同時に往生の大益を得ること。第二義は、不退正定聚の位に即くことである。すなわち、即の字を「すなわち」と読めば、所謂「同時即」であって、聞信の一念同時に、真因業成するが故に、時を経ず日をも隔てず、一念同時に往生するのである。所謂前念命終、後念即生である。であるから『浄

土真要鈔』には、

「然れば即ち今いふところの『往生』といふは強ちに命終の時に非ず　無始已来輪転六道の妄業一念南無阿弥陀仏と帰命する仏智無生の名願力にほろぼされて涅槃畢竟の真因はじめて萌すところを指すなり　即ちこれを『即得往生・住不退転』と説きあらはさるるなり」（島地二七―七、西九六八、東六四七）と。

『執持鈔』にいわく、

「然れば平生の一念によりて往生の得否は定まれるものなり　乃至　平生のとき善知識の言葉の下に帰命の一念を発得せばそのときをもて娑婆のをはり臨終とおもふべし」（島地二四―四、西八六六、東五三六）と。

　これらは皆、即得往生の即を同時即と釈せられたのである。また次に即は、即位の義である。「をさめとりたまふ時即ち時日をも隔てず正定聚の位につき定まるを『往生を得』とはのたまへるなり」。信の一念に無碍光仏の御心のうちに摂取不捨せられる。その時、同時に正定聚の位に即くのである。『一念多念証文』の次の文には、「この二尊の御法を見たてまつるに『即ち往生す』とのたまへるは正定聚の位に定まるを『不退転に住す』とはのたまへるなり」（島地一九―二、西六八〇、東七〇四）とあり、皆、即位の義と釈せられたのである。しかしこの二義は信一念のところに有する二義であって、事は一つしかあるのではない。

然るに正定聚といえば、それは十一願必至滅度の願に、

「設ひ我仏を得んに　国中の人天　定聚に住し　必ず滅度に至らずば　正覚を取らじ」

（島地一―一五、西一七、東一七）

とあって、正定聚は十一願の願事でなければならない。けれども今は、十八願の聞信一念に正定聚の位に入るとせられた。この関係如何というに、『三経往生文類』の初めに、

「念仏往生の願因によりて必至滅度の願果をうるなり　現生に正定聚の位に住して、必ず真実報土に至る」

（島地一六―一、西六二五、東四六八）

とあるよりすれば、十八願は因であって十一願は果である。二願は因果関係をなすものである。この世で正定聚の位に即き、それ故に不退転に住して、やがて浄土に入って大涅槃すなわち滅度の証果を開覚することが誓われたのが十一願である。

ところが先に述べるが如く、聞信の一念に、即得往生住不退転と正定聚の位に入るといわれたのは、信一念の位としての正定聚。そうすると、一つ正定聚が十八願に出、また十一願に出る。両方に出ているのである。願因にも願果にも出してあるのである。なぜそうされたか、そうすることが『大経』の宗教がより明らかになるからである。すなわち十一願は信因によりて生まれる当然の証果を示されたものである。火がついたら（因）火傷して死んだ（果）。それは当然のことである。念仏の信を得たら（因）正定聚の身となり、やがて滅度に至る（果）の

であるから、正定聚はまさしく十一願にあるべきものである。

然らばなぜ十八願にも出されたか。それは、十八願の本当のすがたを顕すためである。願文にないものを成就文に出されるのは、本願成就の信心歓喜一念の真の相、真の意義を明らかにするためである。火がついた筈のものが少しも火傷していなかったり、一刀両断、首の飛んだものが、二度元気で歩いていたりしたのでは、火でも剣でもない。火が飛びついたのは十八願であるが、それが事実ならば、ついたその時同時に火傷する。火傷までゆかなければ十八願ではない。一刀両断斬り下したは十八願、しかしそれが如実であることを示すには、ばたっと倒れて七転八倒までゆかねば明らかには表せない。

しかし因と果と相望（そうぼう）していうならば、信は因であり、正定聚は果である。利剣即是（りけんそくぜ）弥陀号と、名号六字を受け取って大悲光明に摂取されるのが十八願であり、それからおこる証果が十一願である。凡夫は因果を顛倒して、結果から考える。しかしいかに往生即成仏の果を求めても、大信決定の人格的革命、内面的な大転回、自力から他力へ、自己肯定から全否定へ、「回心（えしん）ということただ一度（ひとたび）あるべし」で、この自覚、十八願的自覚の開けてこない限り、何ごとも現われてはこない。

したがってもし十八願の大信心が聞法精進によって成就したならば、求めずとも自然に起きてくるのが十一願の世界である。十八願の世界は、他力ではあるが、衆生の自らの願求の世界であり、その情意による精進の世界であるが、十一願はそんなものを超えて必然に起きて来る境地、言を極めていえば、行者自身がこれを拒んでみてもどうにもならない全く十一願力のみ物をいう必然の果である。

十八願の世界は、自ら驚きを立て、自分で聞法し自分で困り求め、泣き喜び聞き開いてゆく、そのままが他力十八願である。しかし一度信心決定して正定聚に入り、やがて滅度に入ることは、行者自身の如何とも出来ないところの行者自身の果徳であって、ただ、願力自然の妙用に外ならない。

摂取不捨

本願成就文の即得往生住不退転は、十一願の「定聚に住し」である。正定聚の人となることである。しかし同じことではあっても、十八願成就文の場合には、迫るものがある。信ずる一念に、その間髪を入れざる信の一念に、即得往生と久遠劫来の迷い、六道輪廻の妄業が切断されるのが信の一念である。

『改邪鈔』には、

「然れば凡夫不成の迷情に令諸衆生の仏智満入して不成の迷心を他力より成就して願入弥陀界の往生の正業成ずる時を『能発一念喜愛心』とも『不断煩悩得涅槃』とも『入

正定聚之数』とも『住不退転』とも聖人釈しましませり　『是れ即ち即得往生の時分なり　この娑婆生死の五蘊所成の肉身未だやぶれずといへども、生死流転の本源をつなぐ自力の迷情共発金剛心の一念にやぶれて、知識伝持の仏語に帰属するをこそ　『自力を捨てて他力に帰する』と名け、また『即得往生』ともならひはんべれ」

（島地二六―一六、西九四四、東六九四）

とあり、「不成の迷情」とは、凡夫の心では金剛の信心は成就しないこと、「たとひ清心を発すと雖も水に画せるが如し」とありて、成就しないこと、この不成の迷心に仏智満入して、金剛の信心を成ずる、その一念に「生死流転の本源をつなぐ自力の迷情」がやぶれて、善知識の伝持する仏語に帰する。これ皆、聞信一念の端的を明かされたものである。

聞信の一念は、迷いの本源である自力の心を打ちくだかれる一念であるとともに、また摂取不捨の一念である。「斯の行信に帰命する者は　摂取して捨てたまはず　故に『阿弥陀仏』と名けたてまつる」（行巻）（島地一二―三七、西一八六、東一九〇）、「弥陀如来の摂取不捨の御誓なくばまた行者の往生浄土のねがひ何によりてか成ぜん」（『執持鈔』）（島地二四―三、西八六四、東六四六）。

全くその通り、弥陀とは摂取不捨、この摂取不捨の御誓いによって、信の一念に、弥陀大慈悲の御心のまん中に摂取されるのである。その時が、即得往生である。『観経』の「無縁の慈を以て諸の衆生を摂す」（島地二―一五、西一〇二、東一〇六）である。

ここに大慈悲は、その真実の大用を活現したのである。如来の大慈悲は凡夫のものとなったのである。凡夫は如来久遠の愛子として大慈悲につつまれたのである。あるがままを、寸分の隔てなく、悪業煩悩のまま、あるがまま、燃えさかる火の中に炭を投げ入れたように、炎王光と燃えさかる大慈悲につつまれたのである。大慈悲の問題はここに初めて、行者の上に具体化されたのである。

即得往生と住不退転

思うに、信の一念を以て、即得往生といい、また『執持鈔』の如く、「平生のとき善知識の言葉の下に帰命の一念を発得せばそのときをもて娑婆のをはり臨終とおもふべし」（島地二四―五、西八六六、東六四七）とあるを聞いて、もし間違って既に往生成仏せるものとする人があるならば、それは恐るべき聖道門への逆転となり、一益法門の異解となる。

我等は自力の迷情を破られても、宿業そのまま肉身未だ破れず、依然として五濁悪世に凡夫として生きている。そこで注意すべきは、不退転なる文字である。もし即得往生の文字のみあって不退転の文字が無かったならば、大変な間違いをおこしたであろう。また即得往生の文字がなくて不退転の文字のみであっても、正定聚の真意を知ることが出来なかったであろう。

すなわち、即得往生の文字は、救いの完全性を表されてあって、信の一念に名号の全一なる価値の全領、如来の真如一実の功徳宝海を頂くことによって、迷いの根源を滅して即得往生する。然るにその即得往生は不退転に住すで限定される。不退転とは、此岸(しがん)より彼岸(ひがん)に不退転であり、正定聚より仏果へ不退転であること、そうすれば即得往生の言は、かくの如き、正定聚より大涅槃への、新たなる生活の可能を一念に獲得(ぎゃくとく)したことの謂(いい)である。

人生においては果が肯定されてはならない。然(しか)も因は明らかに出されねばならない。親鸞教学の特徴は、在来の浄土門と聖道門とを揚棄(ようき)して、人生にあくまで正定聚の菩薩位を肯定して、成仏をば彼岸におき、在来の聖道門が成仏を現世におくを斥(しりぞ)け、また、浄土門が臨終まで流転の凡夫であるとするを捨てて、あくまで信一念をもって正定聚の位に入ることを明らかにせられたのである。

即得往生して不退転に住する。この即得往生と住不退転とは相互限定する。もし即得往生とのみあって住不退転がないならば、一益法門と誤り、住不退転とあって即得往生がないならば、信一念に全一なる名号功徳を全領して、前念命終(ぜんねんみょうじゅう)後念即生(ごねんそくしょう)と業事成弁(ごうじじょうべん)する平生業成(へいぜいごうじょう)の義を知らぬであろう。信一念に極速円満と、名号の大功徳を受け取って、往生成仏の為に微塵も足らぬものなきところに即得往生がある。しかも、その時、弥陀大悲のみ心のうちに摂取せられて、再び流転輪廻すること能(あた)わぬところに即得往生がある。

弥陀心光中に摂取されたまま、功徳大宝海をその身に満足したまま、そのままが命あらん限りは生死界におかれて浄土に願生するところに不退転がある。この不退転は、全一なる徳、絶対なる徳を全領したままの不退転であって、昨日は三分、今日は四分、明日は三分というように、積みかさねてゆく意味を持たない。即得往生そのままの純粋持続の相である。すなわち名号の功徳をその身に全領するが故に成就するところの不退転、因相より果相への自然必然の不退転、行者は何等のはからいをも用いないけれども、一度信心獲得すれば、任運無作に、水が海に出ずるが如く、正定聚より滅度へ、生死界より浄土に、念仏相続するままに、自然に往生するのである。これ十一願の力である。

　前にも述べたる如く、十八願の聞其名号信心歓喜の世界は他力ではあっても、行者の全精神内容の具体的事実であって、行者の意識の世界である。二種深信の自覚である。然るに、十一願の世界は自力のはからいの尽きたところに現われる、行者の意識を超えたる全く願力の天地である。しかもかかる如来の御はからいにて往生する世界にまで出なければ、十八願の信も如実なものではない。であるから、聖人は常に繰り返しまきかえして、

「往生はともかくも凡夫の計にて為べきことにて候はず（略）大小の聖人だにもともかくも計はでただ願力にまかせてこそおはしますことにて候へ　まして各々のやうに在します人々はただこの誓ありと聞き、南無阿弥陀仏に値ひまゐらせたまふこそ、ありがたくめで

たく候ふ御果報にては候ふなれ　とかく計はせたまふことゆめゆめ候ふべからず」（『末燈鈔』）

（島地二一―一五、西七四二、東五六三）

「わが計はざるを自然と申すなり、これ即ち他力にてましますす」（『歎異抄』）

（島地二三―一一、西八四九、東六三八）

即得往生住不退転の位に入るも他力であり、その正定聚より大涅槃へ往生成仏するは、凡夫の功利的な思慮分別のはからいから生まれるのではなくて、全く願力自然の御はからいである。

五　大慈悲の領解

回向と領解

前において大体、久遠の仏心大慈悲は、衆生の上にいかに回向表現せられるのであるかを頂いてきた。然るに大慈悲の回向表現であるところの、真実の教行信証も、それが、単なる文字であったり、観念であり、論理である間は、我等の真実具体的な宗教生活とならない。ここに衆生の領解の問題がある。大慈悲はこれを領解することによってはじめて衆生の霊性的自覚の本質となる。衆生の領解によりて大慈悲は回向を全うするのである。すなわち回向の哲学論理を知的に知ったというのみでは、生々しい大悲回向の宗教は成り立たない。真実の教行信証が情意の上に生きて、全我の具体的事実となって衆生は宗教的に救われたのであり、これを領解という。

衆生の領解が真実に成立して、はじめて如来の回向は回向となったのである。しかしこの経教をいかに領解するかの問題は実に、歴史的な大問題であった。すなわち、浄土の三部経から、インドの龍樹菩薩の『十住毘婆沙論』、天親の『浄土論』が生まれ、中国において曇鸞の『浄土論註』、道綽の『安楽集』、善導の『観経四帖疏』が作られ、日本に来たって源信の『往生要集』、法然の『選択本願念仏集』となり、ついに我が親鸞聖人の『教行信証』が生まれ、更に今日我等がこれを頂く真宗学まで、この三国七祖の歴史的展開は、世尊の教法の領解の展開であった。

七高僧は、その時代と処と機とを代表して教法を伝承し、その領解を通して本願の真意を開顕しつつ、これを次に相承して歴史的使命を発揮する人を待ち、ここに連綿一貫の名号の歴史は綴られたのである。教法は領解せられなければならない。而して領解されたるその信の告白は、教法の真意として教法とともに相承せられて、教法の真意を発揮しつつ、時と機との上に明らかにされてゆく。つまり教法は領解せられ、領解は歴史的に展開されて、この領解と展開とを通して教法は歴史的に人を救ってゆく。しかもそれがそのまま大悲回向なのである。

我等は親鸞聖人のみ言を聞くことが出来なかったならば、到底本願の真意を知ることは出来なかったであろう。いかに三部経ありとも、七高僧はましませども、聖人の領解、それより出ずるみ教えを聞くことが出来なかったならば、全く常識的な定散二善の自力の世界を、定散自力とも知ることが出来なかったであろう。誠に、教法の相承は、必ず領解の展開と一体である。自信教人信とは誠にこのことである。教法によって、領解の信心は生まれるのではあるが、また鮮やかなる領解の心によりて、教法は教法として生きるのである。

伝承の高僧先哲たちは、教法から生まれたのではある。しかしその時代を荷負して教法を真に領解せられたる、その信心の智慧に依って教法は曇りなき相を顕すのである。我らは如来大悲本願の回向表現たる真実の教行信証を、真に領解しなければならない。それには世尊の教法の真意を七高僧、聖人、先哲の領解の歴史的展開に聞かなければならない。

真実の教法を拒む者は、大慈悲を拒む者である。これを「大慈悲の領解」と題を改めて述べることにする。

本願領解の基調

如来久遠の大慈悲は衆生の業苦を受け取るが故に、法蔵菩薩となる。然るに法蔵菩薩は四十八願であるが故に、大慈悲は四十八願である。四十八願も詮ずる所、第十八願である。故に大慈悲とは十八願「至心信楽之願」であり、大慈悲の領解とは、十八願の領解である。今「大慈悲の領解」なる標題も、具体的には十八願の領解ということである。

天親論主は「願生偈」の最初において、「世尊、我一心に尽十方無碍光如来に帰命し安楽国に生れんと願ひたてまつる」（島地八―一一、東一三五）と、その領解を教主世尊に向かって表白せられた。この世尊我一心帰命のみ言を頂いて、聖人は信巻別序において、『浄土論』を、「特に一心の華文を開き」（島地一二―五四、西二〇九、東二一〇）と讃えられた。何故ならば、この論主の一心こそ、本願の三信の領解の基調となったからである。後に詳述するであろうところの信巻の中心問題は実に、所謂、三一問答、三心一心の相関関係にあるからである。

十八願の願体と願名

十八願には、至心信楽欲生我国と乃至十念と、初めが信、後が行、信と行と二つの願事があるが、いずれを願体とすべきであろうか。曰く、三信が願体である。どうしてそれがわかるかといえば、聖人が信巻に、「至心信楽之願」と標しておられるからである。しかし人有っていうであろう。それなら何故に、念仏往生の願といわれるか。念仏往生の願といわれる以上、十念願体ということが出来るであろうと。この問題については、知っておかねばならぬことがある。

まず第一に、中国の浄影、嘉祥、天台等の諸師は皆、十八願を十念願体と見て、十念往生の願という。今の念仏往生の願は、諸師の十念往生の願とは、全く違った意で特にこれと簡ぶつもりで念仏往生といわれるのである。十八願には願名が五名ある中、念仏往生之願、選択本願の二名は、元祖法然上人の立名であり、本願三心之願、至心信楽之願、往相信心之願の三名は、聖人御己証の立名である。

念仏往生の願とは、善導・法然を貫く、宗義を表顕された願名で、先にいう諸師の十念往生の願という願名に簡ぶのである。

選択本願とは、法然上人一代の興業、選択本願念仏と廃立の原理を示された願名であって、本願三心の願、往相信心の願名は、『選択本願念仏集』の三心章に因って信心正因を顕す願名、至心信楽の願は巻頭に標挙せられて、信巻全体を統べるところの本願三信、十九願、二十願の三心を簡ぶところの本願真実の三心を顕す願名、今、十八願の願体を示したもうところの願名である。

然るに善導は道綽を承けて、十八願文を釈するに、「若我成仏十方衆生称我名号下至十声若不生者不取正覚」（もしわれ仏とならんに十方衆生、わが名号をとなえ、下十声に至るまでもし生まれずば正覚を取らじ）といい、三信の相をば出さずして、称名について十八願を釈したもうた。それでもなお三信を願体ということが出来るのであるか。この問題は如何ということであるが、まず善導大師は、『観経』に立って『大経』を釈顕せられるのである。『観経』という経は、聖道門より浄土門へ衆生を誘引転入せしめる使命を持つ経であって、行をもって表とし、八万四千の諸善万行を顕説し、流通分に念仏行を出して、衆生をして諸行を捨て、念仏行に入らしめんとするのである。

かく行行相対の立場に居して、『大経』弘願の法門を顕されるのであるから、至心信楽の三信を称名行に摂め包んで、称我名号下至十声と、称名の行に就いて釈したもうのである。かくせられることが真宗の歴史的展開の使命であったのである。すなわち易行易修の浄土門はこれに依って顕れたのである。

諸師は盛んに『観経』を講じたけれども、十念を称名行とせずして、念を観念とするが故に、自性唯心に沈んで、聖道門に逆転し、哀れ仏の正意もかくれて、末法濁世の下品を救うこと能わざるに至ったので、善導大師は古今を楷定して、易行易修の念仏行であることを明らかにして、『観経』下々品の「至心に声をして絶えざらしめ、十念を具足して南無阿弥陀仏と称せん」（島地二―二八、西一一六、東一二〇）とは、『大経』の乃至十念の称名行であることを訳釈せられたのである。

行々相対して、聖道の難行に対して、浄土の易行の称名行を示されるけれども、この行は必ず、信と共にある念仏行であることを示すのが、本願の三信十念である。行は必ず信を孕むし、信は必ず行を具すのである。所謂、真実信心必具名号である。だから今の念仏往生の願の念仏とは、信心具足の念仏であって、聖人の信心正因称名報恩の念仏である。もし念仏するとも三信なくば如実の念仏ではない。十七願成就の名号を聞信する一念に三信を成じ、称うれば、すでに報恩謝徳となっているのである。誠に信こそ往生の正因であるが故にこの三信を願体とするのが十八願である。

本願の三信

信巻の中心問題は所謂「三一問答」にある。以下、三一問答について頂くことにする。

「問ふ　如来の本願已に至心・信楽・欲生の誓を発したまへり　何を以ての故に論主『一心』と言ふや」（島地一二一―六六、西二二九、東二二三）

前において十八願の願体は三信であることを決定した。至心信楽欲生の三信は十八願の体であり生命である。一代蔵経は三部経に、三部経は『大経』に、『大経』は四十八願に、四十八願は十八願に、十八願は三信にと、ひきしぼって頂く時、本願三心の領解の問題は誠に一大事因縁である。人生死活の一大事である。本願の領解とは実に三信の領解である。本願の領解は大慈悲の領解である。大慈悲とは具体的には本願のことである。

大慈悲自身の自己形成が本願であり、やがて三信である。而してかくの如き本願の形成は、一切衆生無辺の極濁悪を受け取りたもうが故である。

「問ふ　如来の本願已に至心・信楽・欲生の誓を発したまへり」と先ず問いを出される。如来は本願文に「至心に信楽して我が国に生まれんと欲へ」と如来自身の本願を表現し、「若し生まれずば　正覚を取らじ」と誓われた。

思うにこの王本願の三信こそは、如来久遠の真証をそのままに、現実の衆生に照応して、自然に顕現するところの必然の、したがって唯一絶対の仏心の表現形式でなければならない。これよりほかあり得ない大悲仏心の自己形成、これによりてのみ、如何なる極悪の衆生と雖も助かるが故に、如来は正覚を成ずることを得、南無阿弥陀仏の正覚を得たもうが故に、衆生は名号を信受して助けられる。であるからこの三信によってのみ往生即正覚、正覚即往生の原理、上求菩提下化衆生の仏道の原理、自利即利他、利他即自利の原理が具体化するのである。

論主の一心

「何を以ての故に論主『一心』と言ふや」

これがすなわち、信巻別序で「特に一心の華文を開き、且く疑問を至して遂に明證を出す」（島地一二―五四、西二〇九、東二一〇）といわれている、このことである。何故に、如来は三信の願を発こしたもうたのに、天親論主は「世尊我一心帰命尽十方無碍光如来」と告白せられたのであるかと問い、やがて、三心即一心の明証を出さんとせられるのである。

憶うに、本願の三信は既に述ぶるが如く、如来大悲誓願のこれよりほかに途なき必然の表現である。その表現がやがて行者の為に回向となるためには、衆生は、大悲本願を領解しなければならない。衆生の機の上に領解せられてはじめて救済の事実となるのである。今の論主の一心は、論主の領解の告白である。

然れば何故に三信は一心であるのか、本願の三信は機に受けて一心となるのである。それは妥当なことであるか。論主の真意はいずれにあるのであるかを問われる。

「答ふ　愚鈍の衆生をして解了し易から令めんが為なり　弥陀如来三心を発したまふと雖も、涅槃の真因は唯信心を以てす　是の故に論主三を合して一と為るか」

（島地一二―六六、西二二九、東二二三）

この略釈の文を頂くに就いて、古来一因故なりや、二因故なりやと、問題となるところである。すなわち、

（一）愚鈍の衆生をして解了し易からしめんが為なり

（二）涅槃の真因は唯信心を以てす

と文の上を見ると二つの因故があるが如くである。ところが『略文類』では「答ふ　『愚鈍の衆生覚知し易から令んが為の故に』」（島地一三―一二、西四八九、東四一四）と一因故となって

いる。

まず二因故説では、「愚鈍の衆生をして解了し易から令めんが為」とは「契機」すなわち衆生の機にかなうことである。愚鈍の衆生とは、『観経』下々品の悪機、一生造悪の衆生、臨終に当たって大苦悩の中に善知識に遇い、忽ちの間に信決定して火車を弘誓船にかえるという間髪を入れぬ危急の時、至心信楽欲生の三信では間に合わぬ、ただ一心に念仏申せ、たすけられる、聞いて信決定する、かくの如き愚人をして、領解をたやすくするために、契機の本願だと示されるのである。

次に「涅槃の真因は唯信心を以てす」とは「契法」の説、法に向かっていう時は、涅槃の真因はただ信心だけでよい。このことは既に法然上人が「涅槃の城には信をもって能入と為す」と決せられている。今それを出された。真因唯信心の化風こそ聖人の宗教の眼目である。真因とは普通は因縁という。因があってそれに縁がはたらいて果を生ずる。ところが、今の涅槃の果に対する真因は、信心一つが因となって何ものの縁助をからずして涅槃の証果に至る。もともと弥陀の大涅槃の真証より来たる信心であるが故に、自然に涅槃に入り涅槃に還る。故に真因というのである。今、論主の一心は、上は法に契い、下は衆生の機に契う、すなわち普遍妥当の説であるというのである。

一因故説では、『略文類』の説、愚鈍の衆生をして領解するに容易ならしめんが為の故にの一因故である。すなわち「如来三心を発したまふと雖も、涅槃の……」とあり、如来は本願の三信を発せられたけれど、三心は一を開いた三であって、三のところにそのまま一という、即一の理は離れない。仏願はもと衆生の為にほかならない、衆生の為に涅槃の真因は信心一つと定めたもうたのである。これが一因故の説である。

この説では、真因唯信心と定めたもうたことが、愚鈍の衆生の為であるというのである。この二説何れも悪いことはないが、今この文は「弥陀如来三心を発したまふと雖も、愚鈍の衆生をして解了し易から令めんが為に、涅槃の真因は唯信心を以てす」と頂くことが出来る。島地聖典の如く「為なり」と訓むから二つに見えるが、「為に」と読めば、文章を前後しなくても、一因故であることがよくわかる。

「発したまふと雖も」、如来が三心を発こされたのは、それはそれでわけがある。それは実に衆生の上に、金剛の大信心を成就せんが為である。衆生の為にしたもうは大悲、涅槃の真因たる信心は智慧、悲智一如なる本願に相応して、論主は一心と仰せられたのである。真因はただ信心ということが愚鈍の衆生の為であるということである。

三心の字訓釈

如来は至心、信楽、欲生の三心の誓いを発こされ、天親論主は一心と領解せられた。何故に一心と言われたか、それは愚鈍の衆生をして領解し易からしめんが為に、涅槃の真因は信心一つと定められたからである。この故に論主は、合シテレ三ヲ為ルトレ一（三を合して一と為る）かというのが前述の大体である。

次に広釈せられる。広釈中に一には字訓釈、二には実義釈の二門がある。いずれも三心即一心ということを顕されるのであるが、初めの字訓釈は合三為一門、次の実義釈は開一為三門となっている。

先標。「私に三心の字訓を窺（うかが）ふに、三は即ち一なるべし」

私にとは、これより自解を述べたもうが故に私にといわれる。私は公に対することば、しかし自解といっても字訓については拠り所があって出されるのである。字訓というは、訓とは大体は「おしえ」ということ、文字がもつ義をもって人を教え導くので訓であるが、今は文字の持つ義を訓というのである。今、字訓からうかがうに、三心はすなわち一心であると先ず標して、次に、正釈せられる。

一、出訓、「其の意何（こころいかん）となれば」（島地一二―六七、西二三〇、東二二三）とて次のごとく訓を出される。

至心　「至」は　真なり　実なり　誠なり
　　　「心」は　種なり　実なり

信楽　「信」は　真なり　実なり　誠なり　満なり　極なり　成なり　用なり　重なり
　　　　　　　　審なり　験なり　宣なり　忠なり
　　　「楽」は　欲なり　願なり　愛なり　悦なり　歓なり　喜なり　賀なり　慶なり
欲生　「欲」は　願なり　楽なり　覚なり　知なり
　　　「生」は　成なり　作なり　為なり　興なり

以上の如く、至心に就いて五、信楽について二十、欲生に就いて八、合計三十三訓を出しておられる。一一の訓には皆拠り所があって出されたのであろうが、中には明らかでないものもある。そこで、『六要鈔』にも「字訓未だ悉く本文を勘得せず、博覧宏才仰ぐべし信ずべし」といってある。今は一一の訓についてその本を明らかにすることは略することにして、次に三十三訓を本にして出される会訓について義を述べることにする。

会訓

「明かに知んぬ」（島地一二—六七、西二三〇、東二二四）と書きはじめて次に三十三訓を本として八個の会訓を出される。すなわち、

至心　真実誠種之心
信楽　真実誠満之心　極成用重之心　審験宣忠之心　欲願愛悦之心　歓喜賀慶之心

欲生　願楽覚知之心　成作為興之心

と八重の会訓を出して、三心の一一に、「故に疑蓋雑ること無し」と結び、特に欲生心には、「大悲回向之心なるが故に　疑蓋雑ること無し」と出されてある。

まず至心に就いて、真実誠種之心といわれる。先の字訓に「至とは、真なり、実なり、誠なり、心とは是れ種なり、実なり」とあった。至の字は真実誠というは、善導の至誠心釈にあることでわかり易いが、心を種というのは、これも善導の『玄義分』に、「凡言種者即是其心也」（およそ種と言うは、即ちこれその心なり）とあって、心は種である。種は実である。これをもって一句として、至心を真実誠種の心といわれる。種とは因種で、真実誠が因種となって成仏する。真実誠でなければ仏果の因種にはならない。

『浄土論』に「二乗種不生」で、浄土には二乗の心では生まれられない。また、浄土には二乗の種は発生しない。どちらにしても、弥陀の浄土には至心の真実誠の心でないと関係がない。生まれもしないしまた発生もしない。真実より外に衆生の助かる心はない。しかし、衆生には真実はない。下に『涅槃経』を引いて、「『真実』と言ふは、即ち是れ如来なり、如来は即ち是れ真実なり」（島地一二―七〇、西二三四、東二二三）とある。真実即如来、如来即真実、これよりほかに真実はない。この如来の真実誠が衆生の機に徹到して衆生の信心すなわち真実誠となる。これが因種となって衆生が仏になる。真実誠は、成仏の因種である。そこで今、至心を真実誠種の心といわれる。

次に「信楽」について第一に、真実誠満之心なりといわれる。満とは信の字の転訓で、充満と綴る字で、もののみち渡って欠くところのないこと、信の字は真実誠がいき渡り満ち満ちて欠くることがないこと、至心すなわち真実誠種之心が、ここに来たって誠満の心となったのである。仏果の因種たる真実誠が衆生の心中へ、仏智満入、真心徹到と入り満ちたのが信楽であるといわれるのである。だから信楽は満足した心である。腹のふくれた相である。「仏の本願力を観ずるに　遇うて空しく過ぐる者なし　能く速に功徳の　大宝海を満足せ令む」（島地八―一四、東一三七）と『浄土論』に説かれるものもこの誠満のことである。真実は、とどけば人の心を満たす。如来大悲真実は、衆生の心中に到り満ちて真実信心となる。

故に、『唯信鈔文意』の初めにも、

「『信』はうたがふ心なきなり、即ちこれ真実の信心なり、虚仮はなれたる心なり　虚はむなしといふ、仮はかりなりといふ、虚は実ならぬをいふ、仮は真ならぬをいふなり」

（島地二〇―一、西六九九、東五四七）

と、真実と虚仮とを相対せしめてある。虚仮とはかりにあるもの、むなしいもの、すなわち相対有限のもののこと。「空しい」のであるから、からである。満の反対である。だから生死するものを追い求めても満足はない。相対有限諸行無常なるものをどれだけ貪っても満足はない。

真実の満足は、大信心にある。無量寿、無量光の南無阿弥陀仏を受領してのみ真実誠満と満たされるのである。これが土台に成就しなければ真宗は成立しないのである。

極成用重

信楽について第二義に、「極成用重之心（ごくじょうゆうじゅうのしん）」といわれる。極とは至極、成とは成就、つまり極成とは至極成就ということ。用とはこれに二訓あって、「はたらき」ととる場合と、「もちいる」と訓ずる場合とがある。そこでこの用重にも二様の解釈がなされてきた。

すなわち「もちいる」ととれば、用重とは、信用尊重ということである。弥陀の本願名号は、真実誠であって極成されたものであるから、最も信用尊重さるべきものである。この本願を信用尊重する心、すなわち信楽無疑の心である。

また一義には、用は「はたらき」である。至極成就されたものには大用（だいゆう）がある。すなわち衆生済度のはたらきがある。その場合、重は「かさなる」と「おもし」と二訓あるが、「かさなる」といえば、一重二重とかさなるということで、尊貴の義である。「おもし」といえば、尊重とか深重（じんじゅう）とかいうことである。そこで用重とは、大用深重ということになる。すなわち本願はその体、極成されたるもの故その力用深重信心一つでもって、大涅槃の仏果に至る。下に『涅槃経』を引かれるが、その中に「菩提（ぼだい）ノ因雖ニ復（モ）無量一ナリト若（シ）説（カバ）ニ信心一ヲ則（ケ）已ニ摂尽（しょうじん）シヌ（菩提の因復(また)無量なりと雖も、若し信心を説けば則ち已に摂尽しぬ）」（島地一二―七二、西二三七、東二二九）とある。これ大信心の力用深重を示されたものである。

以上、信用尊重の義と、力用深重の義と二義あるけれども、しかし結局は一つである。力用深重なればこそ、信用尊重されるのである。至極成就されたる本願の信楽は、信用尊重さるべきものを信用尊重する心である。力用深重、極悪の衆生を仏果に至らしむるからである。

審験宣忠

次に信楽とは「審験宣忠(しんけんせんちゅう)之心」といわれる。審とは、ものが分明、すなわちあきらかになったこと、熟語を造れば、審諦で、ものの道理が明らかになったことである。験とは、「しるし」という字で、明験と熟字する。四十度の高熱患者にペニシリンの注射を打って、真に効が顕れて翌日はけろりと平熱になっていたなら、明験「あきらかなしるし」が出たのである。そこで、審験とは、明了無疑決着したこと、他力の大信心は、事実以上の事実、極重悪人が仏智を信ずるが故に、一念のたちどころに千古の疑団を氷解して、正定聚不退の人となり、妙好人(みょうこうにん)となる。

次に「宣忠」とは、宣とは、のぶと訓ずる字であるが、字書には、遍也とあって、ゆきわたることである。そこで宣伝とか、宣言とかいう語が使われるが、広く説き述べて天下にゆきわたらせることである。忠とは、元来「まごころ」とか「まことをつくす」という字で、直也ともある。真心を尽くすということを、中と心を合わせて忠の字としてその義を示したものである。信はまこと、中心のまことである。論語には、有二忠信如レ丘者一（忠信丘の如き者有り）とあり、信とは忠である。心のどん底からのまことである。正法が耳までは入るが心の底に徹到しないならば、忠信のまことではない。真心徹到と心のどん底にとどきって、やがてそれが身口の上に顕れてきて、内外一致の信である。

そこで宣忠といえば、一切の時処に周遍して変易なきまことということである。普遍広大なる真理そのままを頂いた信だからである。自力邪見では忠ではなく、迷妄邪偽では宣ではない。正法は客観的に真理（宣）であり、主観的には誠（忠）である。忠が口業に出れば宣であり、宣が中心に入れば忠である。だから内外調和、道綽の所謂、

「此の心広大にして法界に周遍し、此の心長遠にして未来際を尽し、此の心普く備さに二乗の障を離る　若し能く一たび発心すれば、無始生死の有輪を傾く」

（島地一二―八九、西二二六〇、東二二四七）

と説かれる所以である。

かくの如き普遍のまことであるから、審験とて、ものが明らかになって疑いのない心ということが出来、道理至極と信用尊重するということも出てくるのである。

欲願愛悦

次に信楽は「欲願愛悦之心（よくがんあいえつのしん）」といわれる。欲願とはともに信楽の楽の訓であって、楽とは欲であり願である。『浄土論註』には「願トハ是レ欲楽ノ義ナリ」とあるから、この三字は同一の訓を持つ文字である。すなわち願ということである。この欲願はもと仏の欲願、一切衆生を生死流転より救って安楽大清浄処におかんとするところの金剛決定の大欲願である。すなわち、欲生我国の欲である。衆生迷妄の小欲ではない。

その仏の欲願が衆生心中に入って「愛悦」となるのである。すなわち『大経』の四十八願の前には、「汝今説く可し、宣しく知るべし是れ時なり、一切の大衆を発起悦可せしめん」（島地一―一三、西一五、東一五）とあり、如来の本願を聞き開いて、一切衆生は悦びを得、決定心を得るのである。愛悦といわれるのがそれである。愛は愛楽であって、我等は御法を聞くほどの満足を外に見いだすことは出来ない。所謂、法味愛楽である。そしてそれはまた実に悦びである。仏の欲願を聞いて愛悦するのである。それは如来清浄真実なる欲願が衆生の信楽となったからである。

歓喜賀慶

最後に信楽について「歓喜賀慶之心」といわれる。これはまず本願成就文に、聞其名号信心歓喜とあることに依られたものである。歓喜について『一念多念証文』には「『歓喜』といふは『歓』は身をよろこばしむるなり、『喜』は心によろこばしむるなり」（島地一九―一、西六八四、東五三四）とあって、身によろこぶと、心によろこぶと、歓喜の二字についての釈である。

次に、歓喜と慶喜との違いは、『一念多念証文』に、「『歓喜』はうべき事をえてんずと先だちてかねてよろこぶ心なり」、また「『慶』はうべきことをえて後によろこぶ意なり」（島地一九―五、西六八四、東五三九）とあり、『唯信鈔文意』にも、「この信心をうるを『慶喜』といふ　慶喜する人は諸仏にひとしき人と名く　『慶』はうべきことをえて後によろこぶこころなり、信心をえて後によろこぶなり　『喜』はこころの内につねによろこぶこころたえずして憶念つねなるなり」（島地二〇―九、西七一二、東五五五）とある。

だから信心は一面は慶喜であり、一面は歓喜である。得べきものを得終わって、よろこぶ慶喜と、これから無限の未来を孕んでの、得るであろう喜びとである。すなわち、正定聚と滅度との二益である。煩悩のよころびは、そうはいかない。歓喜であっても、慶喜でない。慶喜であっても歓喜でない。つまり末通った現前のよろこびでない。時に「慶喜する人は諸仏にひとしき人と名づく」ということは、どこから思いつかれたかということについて、善導の『観念法門』に、「非ズ直（ただ）ニ弥陀ノ称フノミニ願ニ亦乃（すなわ）チ諸仏普ク同ジク慶ビタマフ」（ただ弥陀の願にかなうのみにあらず、また乃（すなわ）ち諸仏あまねく同じく慶びたもう）とあり、十七願の意であろう。

十方称讃之誠言（じっぽうしょうさんのじょうごん）と教巻にはあって、今もこの十八願の信心歓喜は十方称讃の喜び、諸仏の普皆同慶のよろこびである。故に信巻末には「広大難思之慶心」といわれるのであろう。誠に行者の上には、煩悩の雲間よりほのかに顕れる喜びでも十方同慶の広大難思之慶心である。

賀の字も「よろこび」という訓ではあるが、祝賀と綴る字で「いわう」という字である。文字の構成が、貝と加と合わせてある。加は音符で貝とは「たから」という字、古くは貝を貨幣として使ったからである。そこで賀という字は礼物をおくって慶することをあらわすのである。つまり、ものを贈って祝うのである。念仏は誠にいわいである。今、信楽を釈するに、多くのよろこびという字を集めて歓喜賀慶之心といわれるのである。

疑蓋無雑の心

以上を結んで「故疑蓋（ぎがい）無シ雑（まじわ）ルコト也」（故に疑蓋雑ること無し）といわれる。すなわち信楽は、真実誠満之心であり、極成用重之心であり、審験宣忠之心であり、欲願愛悦之心であり、歓喜賀慶之心なるが故に、疑いの微塵も雑わらない信心、他力回向の純粋清浄なる信心であると結ばれるのである。

上の至心釈にも同じく、「……なるが故に疑蓋雑わることなし」とあった。これは誠に大事なことで字訓釈をせられるのも、つまりは、三を合して無疑の一心を出したいからである。

願楽覚知

欲生（よくしょう）について、まず初めに「願楽（がんぎょう）覚知（かくち）之心」といわれる。願楽とは、どちらも「ねがい」という文字であるが、どんな願いであるかというと、浄土に往生したいというねがいである。そうすると行者のおぼつかないねがい、要請であるかというとそうではない。これはもともと如来の願楽である。如来の願心である。如来金剛の欲願である。念仏の衆生をして必ず、彼岸（ひがん）に往生せしめねばおかぬとの如来の金剛の願楽である。その如来の願楽が行者の上にとどいて、行者の願楽となったのである。喩えば、強力な親磁石の近所に軟鉄を持って行けば、鉄は親磁石にひきつけられる。これは鉄が子磁石になって、親磁石にひきつけられるのであって、子磁石が親磁石をしたう前に親磁石の力が、子磁石を生み、そしてそれを動かしているのである。

今も、行者が彼岸に向かって生きぬきたいとの願楽をおこしたのは、そのまま親の金剛の大願に動かされているのである。したがって、単なる不確実な願いではなくて、決定往生の確信のままの願楽である。喩えば、川の水は海に出たいと願っているが、それは単なる希望ではなくて、決定して海に入るのである。そのことを示した文字が次の「覚知」の二字である。この覚知は「必得覚知」である。必ず往生することを得と覚知しているのである。善導大師の所謂「心ず、決定して真実心の中に回向したまへる願を須いて、得生の想を作せ　此の心深く信ぜること金剛の若くなるに由りて……」（島地一二―七七、西二四三、東二三四）これである。

如来本願について明了に覚知して生ずる願楽である。故に、そこには、心ず願楽と共に無疑の決定があるのである。

成作為興

次に欲生を成作為興之心と釈せられる。この四文字は皆、生という文字の訓または義訓である。成作とは、仏道を成じ、仏事を作すで、仏道を成じ仏事を作すことは、皆これ大悲回向によるのである。そこでこの成作は如来の修成であって、如来の修得顕現の由れをいう。次に為興とはその法体の修得顕現が、この生死界に縁起して出るありさまをいうのである。

下の欲生釈には、欲生とは回向心なりとあるが、今もそのことであって、成作為興とは、大悲回向の相である。衆生界に仏事を成し、仏道を成ずるままが大悲回向の心を、欲生の文字の上に見いだしたもうのである。

疑蓋無雑

「大悲回向之心なるが故に　疑蓋雑ること無し」といわれるのが、欲生の心の結びである。誠に「我国に生まれんと欲え」との勅命は、そのまま大悲回向の心である。大悲の招喚以外に回向はないのである。この招喚によりて願生浄土するままが、大悲回向なのである。大悲回向の心であるから疑蓋は雑わらないのである。

かくして、至心も、信楽も、欲生も、本願の三心は皆、同じく疑蓋無雑の心であると決せられたのである。

三心即一の信楽

「今三心の字訓を按ずるに　真実の心にして虚仮雑ること無し　正直の心にして邪偽雑ること無し　真に知んぬ　疑蓋間雑無きが故に、是を『信楽』と名く　信楽は即ち是れ一心なり　一心は即ち是れ真実信心なり　是の故に論主建に『一心』と言へるなり　知る応し」

以上の御文は三心の字訓釈の結成であって、聖人が三心に就いて三十三訓を出し、それによって熟語を造って八個の会訓を出されたのも、ついにこの結論に至らんが為であった。すなわち初めに、如来は本願に至心信楽欲生の三心を誓われたのに、何をもって天親論主は一心といわれたかの問いを発し、次に答えて、「愚鈍の衆生をして解了し易からしめんが為に、弥陀如来三心を発したまふと雖も、涅槃の真因は唯信心を以てす　是の故に論主三を合して一と為るか」と略答せられて字訓を出されたのであった。よって結論づけるに当たって、

「今三心の字訓を按ずるに」

と、上来の全てを受けてこられたのである。「真実の心にして虚仮雑ること無し　正直の心にして邪偽雑ること無し」。至心も信楽も欲生も、皆「真実の心」であり、「正直の心」である。凡夫有漏（うろ）の心、不実の心ではない。また凡夫顛倒（てんどう）の邪心でもない。唯これ、仏の真実心であり、正直の心である。真実であるから虚仮は雑らない。正直であるから、邪偽はない。唯これ如来真実正直の心である。

「真に知んぬ　疑蓋間雑無きが故に、是を『信楽』と名く」

三心の字訓、皆、真実にして正直の心たることを表す、よって三心皆、疑蓋無雑の心であるが故に「是を信楽と名く」と結ばれる。聖人は、これが出したいのである。すなわち三心を信楽一つに収められたのは、三心即一の機受を顕して、「是を信楽と名く」といわれたのである。本願三心機受一心の時は、何時（いつ）でも三心は信楽一つにおさまる。この信楽が如来回向のものであるが故に、真実の心であり、正直の心である。凡夫には本来、真実も正直もあったものではない。自力疑心は、虚仮であり、邪偽である。この虚仮不実、顛倒邪偽の凡情の中に、真実に

して正直なる信楽は回向されるのである。

次に古来の釈の中には、真実の心とは至心であり、正直の心とは欲生である。すなわち至心は、如来真実功徳の名号を信ずるが故に、凡夫の虚仮雑毒のまじわる筈なし、後の正直の心とは、欲生心を顕す、如来の招喚に順じて正直に進んで決して別解別行などを聞き入れぬ、故に邪偽雑わることとなし。この至心欲生の法を挙げて信楽を顕すが故に、「真に知んぬ　疑蓋間雑無きが故に、是を信楽と名く」といわれたのであるとする。

一体、本願の三心はあくまで三即一であるが故に、至心といえば信楽欲生を具し、欲生といえば至心信楽を具し、信楽といえば至心欲生を都べているのである。そこで言別意一といって、言の別からいえば、至心の体、信楽の相、欲生の用と三心に別名があるのである。しかしその意からいえば一であるのを意一というのである。

そのことをよくのみこんでから、言別に立っていえば、各々その随一を守るのである。しかもその意一はどこへ持って行ってもよいのである。例えば、『略文類』には、実義釈の終わりに、

「三心皆是れ大悲回向心なるが故に　清浄真実にして　疑蓋雑はること無し　故に一心也」（島地一三―一五、西四九三、東四一八）とあり。これを今の信巻の文と対比すれば、「故に一心也」は、今と同じく信楽の一心を示されたのであるけれども、「三心皆是大悲回向なるが故」

とは、欲生に都(す)べられたのであり、また清浄真実とは、三心皆清浄真実で、これを至心に都べられたのである。しかも最後に「疑蓋無雑故一心也」と信楽一つに摂められたのである。

今も、真実の心といえば、『略文類』の清浄真実で、至心に当たる。また正直の心といえば、回向心に当たる。大悲回向心というのも欲生心、正直の心というのも欲生心に当たるというのは、仏に約せば、欲生は大悲回向心であり、行者の機受に約していえば、正直の心である。故に、『略文類』は大悲回向心と仏の回施(えせ)に約してよい。今、正直の心といわれたのは、行者が如来の招喚のまま、正直に信順して別解(べつげ)別行(べつぎょう)悪見人(あくけんにん)等の妨(さまた)げを聞かない機受に約していわれたのである。

かくて、本願の信楽は、行者自力の発起するところではなく、深く如来至心の清浄真実、如来回向の正直の心に根拠するところの信楽である。故に、虚仮無雑、邪偽無雑の真実清浄の大信心である。「信楽は即ち是れ一心なり」。機受につけば誠に一心である。本願三心機受一心、すなわち信楽である。

「一心は即ち真実信心なり」。これは信楽を一心、一心を真実信心と御転釈である。真実信心という言は善導の『往生礼讃』に出る。これはもと、『大経』の本願成就文に、信心歓喜乃至一念と出る。それによって、論主は一心といわれ、更にこの論主の一心を真実信心という。信楽というは、真実信心の一心であると示し、「是の故に論主建(はじめ)に一心と言へるなり　知る応(べ)し」。

この文は『浄土論註』の讃嘆門の釈文である。今はそれを用いて結釈せられる。以上の如く、合三為一の趣あり、故に論主は、「願生偈」の建章に、世尊我一心と告白されたのである。三心即一心の義趣「応レ知シル」（知るべし）といわれるのである。

第五章　仏法ひろまれ

地球の全表面が　不安と動揺と焦燥と憂慮の中に包まれる
科学発達して功罪共に増大し　思想学問進歩してかえって騒乱を深める
人類はたして進歩か　退歩か
仏かねて　五濁悪世と説きたもう
世界を挙げて　この言の如実を立証するのみ
ああ　痛ましきかな　人類の宿業
ともに無明邪見我慢の闘争によって滅亡の深淵に入らんとす
大道あり　何ぞ願わざる
光明あり　何ぞ求めざる
人類にして今　反省なく懺悔なくば　ついに滅亡に至るであろう
この人類最大未曾有の苦悩の中
この苦悩を受け取り　この苦悩を超克して大道に生き
この苦悩の闇を照らす不滅の光の実在を立証して
歴史的使命に生きるもの　すなわち念仏の同朋である

一　我らの世界

真宗念仏の世界は、竪に無限絶対なる如来の大悲本願によって、仏凡一体の関係にあるとともに、横に同朋と、信心のまことによって結ばれて、一つの美しい世界を出現するのである。特に親鸞聖人は、弟子一人も持たずと宣言し、御同朋・御同行と念仏の人を敬愛されたのである。はるばる命がけで常陸の国より京都まで、道を問い、法を求めてきた人達に対してすら、「詮ずるところ、愚身の信心におきては此の如し　この上は念仏をとりて信じたてまつらんともまた棄てんとも面々の御計　なり」（『歎異抄』）（島地二三―二、西八二三、東六二七）と、自由の天地に人を開放して、信ずるところを強いつけず、威力をもって人を征服せず、教権をもって人を束縛せず、ただ、自ら信ずるところを行じて、その離合集散を因縁にまかせ、何人をも、宗教の名において所有しようとせられなかった。あまりにも美しく清浄ではないか。それは、如来浄土の清浄光に洗われ、真実智慧によって人間の我執自力・邪見憍慢が限りなく否定せられた、信心の智慧による和の成就である。我らの生活もまた、この聖人の生活のごとく成就されねばならない。

我らは一人一人が信心決定して念仏することによって、平等なる信によりて自然に結ばれていなければならない。「いかに宝物を仏前にもなげ師匠にも施すとも信心かげなばその詮なし一紙半銭も仏法の方にいれずとも他力に心をかけて信心ふかくばそれこそ願の本意にて候はめ」（『歎異抄』）（島地二三―一二、西八五一、東六三八）。利によって集まるものは利によって去り、名によって集まるものは名によって散る。

名利・権勢を求めて集まらず、立身出世を求めて集まらず、主義によって徒党を組まず、不平・愚痴をもって集まらず、善悪によって結ばれず、学歴によらず、男女老若によらず、規約によらず、かくして人間の発する何ものにもよらず、したがって人間のあらゆる心を持ち合わせつつ、ただ、自然にして、謀らわざるに、如来本願力回向の大信心によって結ばれ、一味平等なる法味楽の調和によってのみ、我らの世界は成就されるのである。

我らの歩みは、法則がここにあった。それは一見まことに生ぬるい、あまりにも悠長な考え方のようである。しかもこの淡々として水のごとき自然の結合こそ、一番美しくまた一番和の早道であることを、我らの同朋は立証した。

念仏の同朋の集いは美しい。

我らは唯信の世界に一味平等である。

善悪によって裁いてはならない。我慢を張って同朋の間に威勢を行じてはならない。謙譲の徳によって下座に居り、互いに助け合い、讃嘆し合い、尊敬し合い、互いに同行善知識となって、美しい華園を出現しなければならない。我らの集いは、仏徳による人格的なものでなければならない。

二　青年よ、精進せよ

青年よ。わが愛する青年よ。私は君達を見ること、接することが、この上なく嬉しい。この心を仏天の憐れみましましてか、来る講習も来る講習も若人によって満たされてある。初めてわが光明団の講習に来た人は、あまりに青年によって満たされているのに驚かれるようである。ああ、青年。君達を思うと、熱いものの胸に満つるを感ずる。

一、青年よ、精進せよ。

時を惜しみ、体力・生命力を濫費することなく、精進せよ。

「少年老い易く学成り難し、一寸の光陰軽んずべからず。未だ覚めず池塘春草の夢、階前の梧葉すでに秋声」

我すでに五十有四、今静かに秋声を聞くに当たって、春草の夢若々しき若人に向かって、「青年よ、精進せよ」と全身全霊を声になして叫び続ける。

何ゆえに若き日を怠け、若き日を惜しんで精進しないのか。今は父あり母あり兄弟あり、だらしなき不精進の言い訳をして、責を他人に負わせていることもできよう。しかし、いつまでも親はいない。やがて壮年となり老年となった時、因果業報ようやくその身に現われるに至って、悔いを千載に残すであろう。

青年よ、怠りを誡めて精進せよ。青年の美しさは精進にある。不精進の者には必ず幾多の不善を具するであろう。

二、青年よ、強くなれ。牛のごとく、象のごとく、強くなれ。真に強いとは、一道を生きぬくことである。性格の弱さ悲しむなかれ。性格の強さ必ずしも誇るに足らず。「念願は人格を決定す。継続は力なり」。真の強さは正しい念願を貫くにある。怒って腕力をふるうがごときは弱者の至れるものである。悪友の誘惑によって堕落するがごときは弱者の標本である。青年よ、強くなれ。大きくなれ。

三、青年よ、「物腰を低く、気魄を大きく」持て。

謙虚なる者は必ず仰いで大空を視る。高慢不遜なる者は必ず小事に囚われて大成することなし。至れる謙虚は金剛の信念とともにあり、金剛の信念は至れる謙虚とともにあり。金剛の信念なき謙虚は、謙虚にあらずして卑屈であり、謙虚なき金剛の信念は、信念にあらずして我執・我慢にほかならず。青年よ、気魄を大きく持て。君らの中からは文化日本、道義日本の建設者が出現しなくてはならぬ。この民族の苦悩の中から、地球を七巻きするような大いなる気魄の人が生まれなくてはならない。

四、青年よ、名利を越えよ。我らは決して名を求めて動いてはならない。何も名高くなる必要はない。人に知られることを要しない。英雄を求めず豪傑を必要とせず。ただ、汝自身を充実して一道にあれ。重ねて言う。「念仏して自己を充実し、国土の底に埋もるるをもって喜びとなすべし」。

五、青年よ、正直なれ。大きくなりたいなら正直なれ。人に裏切られても正直なれ。艱難に当たっても、逆境にあっても、正直を失うなかれ。王直とはまっすぐに歩むことである。

「まっすぐにまっすぐに。唯まっすぐに。難関にぶち当たればさらにまっすぐに。念仏道をまっすぐに」

六、青年よ、善き友と良き師長とを得て、常に光の中を行け。善友・善知識なくして向上せる一人の人なく、悪友・悪知識なくして堕落せる一人の人なし。『蓮如上人御一代記聞書』にいわく、「その人を知らんと思はば、その友を見よといへり。善人の敵とはなるとも悪人を友とすることなかれといふ事あり」（島地三〇―二二、西一二七八、東八八二）と。

七、青年よ、金剛の信心に生きて世の光となれ、一生聞法・精進・不退転の行者となれ。光と喜と敬と愛とは君の上にあるであろう。

三　亡びゆくもの、新たに興るもの

亡びゆくものと、新たに興るものとの対比を考えて、わが光明団の歩みをしてより純粋なものにしたい。

大体亡びゆくものはお上品ではあるが熱がなく、実行力がない。貴族的であり、封建性そのものであることはもちろんである。清盛の父、平忠盛は鳥羽法皇によりてはじめて従五位下に叙せられ昇殿を許された。しかるにそれよりわずか三十五年を経て清盛はついに太政大臣となり、一門ことごとく栄達して藤原氏に代わって権勢をほしいままにした。清盛が太政大臣になってから六年目、承安三年にわが聖人御誕生、その翌々年源空上人浄土宗を開かれたのであるが、清盛が太政大臣になってからわずか十八年目には、平家一族は壇ノ浦に亡んだのである。「おごる平家は久しからず」との後世の諺（ことわざ）を生んだほど、亡ぶものの模範的な相をとったのである。すでに貴族的になった彼等には高上りはあっても力がなかった。臥薪嘗胆（がしんしょうたん）ついに立ち上がった源氏の前には、ひとたまりもなく亡んでしまった。しかるに平家を亡ぼした源氏は、後七年にして頼朝が征夷大将軍となって鎌倉幕府を開いたが、一族の内部分裂によって頼家、実朝と三代にして亡んだ。頼朝が将軍となってからわずかに二十七年目であった。和せざる者は栄えず。内に分裂する者は亡ぶ。しかるに次に鎌倉の実権を握った北条氏は、名のみの将軍を上に頂き執権となって栄え、英主相継（あいつ）いで出で、五世時宗に至って、元（げん）軍十万を討って勢いいよいよ挙がる。後、新田義貞によって滅ぼされるまで、九世百十四年間、北条の天下が続いた。これ北条氏は質素倹約の風を守り、同族相扶（あいたす）けまた鎌倉には禅宗おこり、鎌倉武士の中に入り、また執権の中には仏道に心よせる者あり、平家、源氏の轍（てつ）をふまなかったのである。

この鎌倉時代こそ、親鸞聖人は関東に立教・開宗したまい、道元は宋に入って禅を学び、日蓮は関東に大獅子吼(ししく)される等、三聖相続(あいつづ)いて出られた、日本文化史上の貴重なる時代であった。

わが聖人は、恵まれざる群萌(ぐんもう)、庶民大衆の父であった。貴族的な何ものもなかった。曠野の灯であり、凡夫(ぼんぶ)の父であった。名利・権勢・享楽等の何ものもなかった。ただ、苦難の中、人間群落の中に如来の大慈悲のみがあった。念仏の易行道、いかなるものも救われる大悲本願の宣布のみがあった。聖人の行歩は悪人凡夫をたちどころに救いたもうた。本願を信じて念仏申せ。いかなる衆生も救われる。聖人こそは如来正覚の立証者、無明長夜の灯炬(とうこ)、生死大海の船筏(せんばつ)であったのだ。相済(あいす)まぬことだ。情けないことだ。形骸のみ残って灯は消え、福田(ふくでん)には雑草のみ茂って浄華咲かず。今にしていよいよ祖意に帰り自信教人信(じしんきょうにんしん)、報恩行のために粉骨砕身せずんば……と思うは私のみであろうか。

亡びゆくものには小理屈と小田原評定が多くて、明朗なる決断がない。宗教のことは、身をもって進むものには、直截簡明、念仏して願往生の一道を生きるよりほかに何ものもない。「念仏よりほかに往生のみち」存知せずである。全身全霊ただ南無阿弥陀仏に摂取せられて生きる念仏道は簡明である。しかるに込み入った理論があって、一行一心「専復専(せんぷせん)」、「ただ念仏」だけで通ずる切れたものがない。あわれ超世無上の本願も、人間知性の対象となり、囚われたる煩瑣哲学、時代感覚を失った骨董品となれば、人間の迷いを寸断するの力を失い、苦悩を超克せしめる力を失い、この世に用なきものとなるであろう。彼の迷信と嘲笑せられ、邪教とよばれつつも、どしどし社会に進出する新興宗教を見よ。はたして彼等に学ぶべき何ものもないであろうか。真理性は希薄であっても、社会におくるものは熱いものであろう。寒い日には冷たいご馳走よりも、一ぱいの熱いお茶を人は欲する。新たに興るものはあつい情熱に燃え、亡ぶ者には理屈があって熱がない。この熱すなわち時に懦夫（だふ）を起（た）たしめ鬼神を泣かしむ。長袖（ちょうしゅう）軟弱すでに貴族となりすました平家は、一度木曽義仲の野人的力がなだれこむや一たまりもなく敗れてしまったではないか。人を見れば自ら高く居り、興るものを見れば迷信だ邪教だ異解者だと言っている間に、あわれ宗教的貴族達は、世に取り残され、滅ぶ者の哀れさを愚痴に埋もれているだけではあるまいか。

亡びゆくものには徹底せる報恩行がない。今新たに興るものは、全身全我を挙げて宗教のため道のために奉仕しているではないか。一人の行者を得るために彼等のはらう努力を見よ。しかるに亡ぶ者は、道に寄食して、偸安（とうあん）なすことなく、他に奉仕を求めて自ら奉仕せず、「如来大悲の恩徳は身を粉にしても」と歌いつつ、ついに歌嘆儀式の文句に終わる。徹底せる報恩行、一生を貫いて全身これ報謝、この人なくして正法の興隆はあり得ないであろう。

新たに興るものは、強固なる団結によって起つ。熱き同志愛によって一丸となる。滅ぶ者は、見よ、甲も念仏、乙も念仏でありつつ、互いに反目嫉妬、表面一つに見えて内心互いに清算されざる一物を蔵して、犬猿の間となる。その一物とは、自己肯定の自力・我執、未だ金剛の鉄槌によって粉砕されず、未だ真実大悲の溶鉱炉に入って溶融されざる、自力・我慢の頑石がものをいうのである。全我を提げて教法に打ち当たり、残るところなくこの自力を捨てて、合掌して全我を大衆の中におけ。声の大きいものは大声を真実と肯定し、声の小さきものは低声を真実と肯定し、能弁は能弁を肯定し、咄弁は咄弁を肯定するも、声の大小、話の上手下手、すべて真実にあらず。一切を大悲久遠の真実、普遍広大の威力の大行の前に投げ出して、ただちにかの願力に乗じて念仏界裡に合掌せよ、万人を化して一つにする力を与えられるであろう。自己の我慢は棚にあげて、人を善悪によって裁く者、同胞中のがんと知れ。真に念仏する凡愚なる百人は、もって正法の礎石たるべく、自力を清算せざる一人の賢者は、和合僧を破る提婆たるべし。この賢者すなわち獅子心中の虫というべし。念仏して愚者となれ。愚者となりて念仏申せ。

亡ぶものは、八方美人である。世の迫害・批判・攻撃のみを恐れて一道を進まない。新たに興るものは、必ず嵐の中に立つ。古来の歴史を見よ。聖賢・偉人・先駆者、一人として嵐の中に立たぬものがあったか。事なかれ主義の人があったか。新たに興るものは必ず無意味なる迫害の中に立つ。正しく歩めば歩むほど真剣に生きれば生きるほど、非難攻撃の中に立つ。しかしいかに水火はさかまくとも、歩みきらねばならぬ必然の道がある。謗られても謗ってはならぬ。攻撃されても攻撃してはならない。「この念仏する人を憎み誹る人を憎み誹ることあるべからず、あはれみをなし、悲しむ情をもつべし」（『末燈鈔』）（島地二一一―三）、憎み誹られてもいい。憎み誹ってはならない。ただ念仏一道を精進すべきである。

新たに興るものはよく精進する。亡ぶものは懈怠である。精進しよう。いよいよ全我的な精進を続けよう。一人精進して一貫すれば、必ず大千応感動の盛儀が展開されるであろう。仏力によるがゆえに。我らは同胞とともに、大悲によって温かき団結の下に、静かに不退転に精進を続けよう。年は暮れんとす。新しき決意の下に新しき年を迎えよう。

四　創立三十周年を迎う

思えば大正八年一月（二十五歳の時）、飯室村において本団を創立してから、星霜いつしかに流れて、ここに三十周年を迎えることができた。感慨無量。唯(ただ)仰いで仏天の鴻恩(こうおん)に泣き、伏して同胞の護念(ごねん)に哭(な)くことである。大悲常照の加被力(かびりき)なくして、また念仏の同胞の御念力、不退転の精進なくして、どうして今日あることができようか。唯(ただ)合掌・恭敬してこの大恩を謝せんと思う心で胸がいっぱいである。

　つらつら思い返せば、大正十二年春五周年を迎え、その記念大会を催して後、四囲の状況が私をして飯室の地にあることを許さなくしてしまった。飯室の地を去らねばならなくなった。それから既に二十五年を経過した。この二十五年間はもっぱら正法を頂戴しつつ、同胞の胸より胸に巡礼の旅を続けさせていただいた二十五年であった。まことに煩悩、人にすぐれて熾盛(しじょう)、悪業(あくごう)また極めて深重なる私であり、世の中もまた生死の苦海の名にたがわず、様々な大変転を遂げた三十年であった。火の河・水の河、山また山、坂また坂、人の世の喜怒哀楽をつぶさに経験しつつ、極めてのろい歩みではあったが、願生の一道を続けさせていただき、唯(ただ)念仏のみを細々ながら相続させていただくことができた。今日に至って馬鹿の一つ覚えであったこのこと一つが私を生かしてくださった。思えばまことにお念仏一つである。そしてそれが私の唯一つの生き甲斐であり、喜びであり、生命であり、全てである。御念仏が無かったら私には何もない。如来回向の念仏のみが私の全てであることを、今さらのように、このことをこの上なく喜ばせていただくことである。

その上に私にとってまことに感謝に堪えないことは、御同胞を恵まれたことである。共に如来聖人のみ教えをいただき同一念仏に生きさせていただく同胞を与えられたこと、教法の真実なることを身をもって立証してくださる御同胞と「同一念仏　無別道故」の歩みを続けさせていただくことは、なんという有難いことであろうか。この有縁の同胞に助けられ教えられ励ましていただいた三十年であった。欠点多き私を許し、無力な私を助けて今日の日を迎えさせてくださったこと、全く同胞の証誠護念（しょうじょうごねん）の賜である。

顧ればこの三十年間には様々な宗教や修養団体が生まれたが、その多くはすぐに倒れてしまって、わが真宗光明団はついに三十周年を迎えることができた。これ全く仏恩であり、祖師聖人の恩徳である。

今三十周年を迎うるに当たり深く心に誓うことは、いよいよ忠実に教法を聞信して、より純粋に一道を精進させていただき、生くる日の限りを教法のためにあらしめたいことである。教法を聞信して信一念に安住し、何ものをも求めてはならない。唯（ただ）忠実に正法に信順して全我を本願に托して、一生不退転に歩ませていただくこと、それがたった一つの今日の私の心根である。一日生きれば一日、一月命あらば一月、一年与えられるなら一年、唯（ただ）正法に生きさせていただいてこの鴻恩（こうおん）を報じなければならない。恭敬・合掌、ただ限りなき感謝の中に念仏させていただくことである。

（昭和二十三年二月八日）

五　専復専――三十周年記念式典の日、記念講演の要旨――

『唯信鈔文意』

極楽無畏涅槃界
随縁雑善恐難生
故使如来選要法
教念弥陀専復専（『法事讃』下）

（島地二〇―七、西七〇九、東五五三）

往生浄土

この御文は善導大師の『法事讃』下にある御文で、『唯信鈔文意』に親鸞聖人が親切丁寧を極めて御解釈くださいました。

涅槃界ということから計らずも、聖人の如来観というものが非常に明らかにされてあります。

今日はそれを頂こうというのではありませんが、この大意を窺って新しい出発の指標にさせていただきたいと思うのであります。

「極楽無為涅槃界には、随縁の雑善は恐らくは生まれ難からん……」

私どもは皆、御浄土に往生させていただくことであります。親鸞聖人が八十八歳の時、乗信房への御消息に「御信心たじろかせたまはずして、おのおの御往生候ふべきなり」（『末燈鈔』）（島地二一―六、西七七一、東六〇三）と仰せになり、また有阿弥陀仏への御返事にも「この身は今は歳きはまりて候へば定めてさきだちて往生し候はんずれば、浄土にて必ず必ず待ちまゐらせ候ふべし」（島地二一―一〇、西七八五、東六〇七）と仰せになっておられます。

こうして今日は三十周年記念式典で多数の御同胞のお集まりを頂いていますが、皆やがては死ぬるのであります。先の式辞では浄土にある多くの御同胞に感謝致したことでありますが、やがてあの同胞たちのところへ往かせていただくのであります。それを思いますと『阿弥陀経』の中の「倶会一処」の文字が有難く思われます。と同時に、聖人の「おのおの御往生候うべきなり」「浄土にて必ず必ず待ちまいらせ候うべし」の御言葉が身にしみて頂けることであります。

この世で一つになることをなぜ説かないかと言われる人がありますが、この世で一つであるようでも、いずれ別々になるようではこの世でも一つではない。この世では皆別れ別れになる。会うたほどの人間に皆別れねばならぬ。しかし別れた人も皆お念仏の信心一つで必ずお浄土で会えるということ、今は別れても末は必ず一つになれる。必ず一つ世界に生きさせていただくということが、今日もまた一つの世界に生きさせていただくということであります。今は一緒に暮らしていても、後には別れ別れになってしまうのであるということは、今日も本当は一つではないということでありましょう。でありますから皆同一に「極楽無為涅槃界」、お浄土に往生させていただかねばなりません。

恐難生

ところが「極楽無為涅槃界には、随縁の雑善は恐らくは生まれ難からん」と仰せられます。この御文を『唯信鈔文意』には「随縁は衆生のおのおのの縁にしたがひてもろもろの善を修するを極楽に回向するなり　即ち八万四千の法門なり　これはみな自力の善根なるが故に実報土には生れずときらはるる故に恐難生といへり」（『唯信鈔文意』）（島地二〇―八、西七一〇、東五五四）と御解釈されました。「恐らくは生まれ難からん」とはいわゆる聖人の言は切迫せずで、やわらげて仰せられたので、八万四千の善、随縁の雑善、縁次第で生まれた思いつきの善根では、極楽無為涅槃界には絶対に生まれることは出来ないのであります。有限なるものをどれだけ積み重ねても、無限なるもの絶対なるものには手はとどかない。それを相対有限なるものの作り出す八万四千の自力の善根が役に立つように思うのが凡夫であります。それが自力であります。

そこで「故に如来要法を選びて、教えて弥陀を念ぜしめて専らにして復専らなら使めたまえり」と説かれるのであります。この文の如来とは釈迦如来、要法とは、法とは名号のこと。「故使如来選要法といふは釈迦如来よろづの善の中より名号をえらびとりて五濁悪時・悪世界・悪衆生・邪見・無信の者に与へたまへるなり」（『唯信鈔文意』）（島地二〇―八、西七一一、東五五四）、つまり釈迦は名号を説き選んで五濁の衆生に与えたもうのであります。

「教念弥陀専復専」、教えて弥陀を念ぜしめ専らにして復専らならしむ。これを聖人釈して「即ち選択本願の名号を一向専修なれと教えたもうみことなり」と言われます。御念仏一つを教えすすめてくださるのであります。「専復専といふははじめの専は一行を修すべしとなり、復はまたといふ・かさぬといふ、然ればまた専といふは一心なれとなり、一行・一心をもはらなれとなり　専は一といふ語なり、もはらといふは二心なかれとなり、ともかくもうつる心なきを専といふなり　この一行・一心なる人を『弥陀摂取してすてたまはざれば阿弥陀と名けたてまつる』と光明寺の和尚はのたまへり」（『唯信鈔文意』）（島地二〇―九、西七一一、東五五五）と釈せられて、次にこの一心は横超他力の大信心、念仏往生の本願の三信であることを説かれてあります。今日まことに三十周年の記念として特に頂戴したいのは、この「専復専」ということであります。一行一心・専復専、いよいよ我らの往くべき道は明らかであります。専らにして復専らなれ。純粋により純粋に、いよいよ純粋に御念仏の道を歩ませていただくのであります。

専復専

はじめの専は名号の一行、後の専は他力信心の一心、であるから一行一心といっても一が二つあるのではない。初めの専があってそれが届いて後の一心がある。一行を受け取った心すなわち一心、一が二つあるのではない。他力の一心のみがある。この一心は一行を受け取った心、名号の大行を受け取った大信心、一行一心・専復専、御信心一つというも御念仏一つというも同じこと、この一心のみが如来より回向されたものであるから「この信楽は衆生をして無上大涅槃にいたらしめたまふ心なり　この信心即ち大慈大悲の心なり　この信心即ち仏性なり」(『唯信鈔文意』)(島地二〇―九、西七一二、東五五五)と聖人は讃えておいでになります。

我らはこれからいよいよみ教えのごとく歩ませていただかねばなりません。一人でもより純粋に歩む人すなわち量より質、質こそ誠に大事であります。誤って大衆を一度に網に入れるようなことをしてはならない。より鋭角により鋭角に、決して世間一般になされるように、何とかして一時に大衆の集合することを希望して、上手にあの手この手を打つがごときことをしてはならない。それは宗教ではなくして興行であり、まずい計らいであり、人の征服である。あくまで私一人が聞法精進させていただくこと。私一人が精進することがもし御冥見にかなわば、必ず一人の友を得ることが出来ることは、皆様がすでに体得され、あるいは眼前に見ていることであります。一人が、私一人が、いよいよ聞法精進させていただくこと、この世に出していただいたことは、正法（しょうぼう）を聞いて出世の一大事を満足させていただくにあると口に言っているのではなくて、一生をかけ生活をかけて「専復専」と生きさせていただくことであります。

この一は如来回向の一であります。如来本願の顕現したる一心であります。有限なるものから出たものではなくて、絶対無限なる如来本願そのままの一心であるが故に、「極楽無為涅槃界」より回向せられたる一心なるが故に、よく「極楽無為涅槃界」に至るのであります。

この一は外に向かって他を統一する一ではない。それは全体主義的な征服である。そうではなくて内を、八万四千の煩悩のみなる内を統一する一である。外なる八万四千の一切が内に八万四千の煩悩となる。我らは今、歴史的な苦悩を苦悩している。この祖国の一切が内に歴史的な苦悩となって、苦悩せしめられている。その一切を内に絶対統一する一である。この内に開く一心こそ八万四千の生死煩悩を内に統一して、水火二河の間に白道（びゃくどう）となり、一切の悪を転成して徳とし福とする金剛の信心であります。我らはあるがままの人生をあるがままに受け取りつつ、しかも内にこの回向の信力によって御念仏一つを生きさせていただく、苦悩が深ければ深いほど御念仏一つ、波が高ければ高いほど御念仏一つに生きさせていただくこと、「専復専」のみ教えを現実の中に頂いて如実に生きさせていただきたいと思います。

（昭和二十三年四月一日）

終章　永遠の旅人

山も村も紫に黄昏れて　金盆　西の山の端に赤し
金色の雲　色うすれゆく時　明星次第に輝く
悠揚なる哉　荘厳なる哉
地上の生の終焉は永遠の生への出発である
噫　君在りし日の黙々の精進　水火二河を貫かれた行歩
その時　誰かこの静かなる一道の行歩が
恒沙の護念証誠の中にあるを知ったであろう
たった一人　泣くに泣けぬ日を念仏に忍び
たった一人　氷雪の野をほのかなる招喚のみ声に生きぬき
或いは又　春風駘蕩の順境にも一道を失わず
一生相続不退の歩みは遂に今の今
大千応感動の盛儀を展開して　み親のみくにに帰りたもう
蓮華蔵界　弥陀法王　久遠の一子を携えて屋門に入り
檀林宝座に寂静　涅槃の本際を極めたもう
我ら五体投地して唯尊容を仰ぎ奉る

一　愛別離苦

独生（どくしょう）、ひとり生まれてきた我々は、独死（どくし）、ひとり死んでいかなくてはならない。その間にいかに多くの人に出会って愛し睦（むつ）み親しみあっても皆別れていかなくてはならない。人生の悲劇のほとんどが愛別離苦によって生まれる。

人は人に会う。そこに不思議な因縁を感ずる。「袖（そで）振り合うも多生の縁」、友人・隣人・親族・兄弟・親子・夫婦・師弟等、様々な関係において人に会う。互いに助け助けられて、愛し愛されて人生が成り立つ。

しかし人は、会っただけで真に会っているであろうか。会っても会っていない、そこに、人生の根元的なさびしさがある。愛の世界のさびしさがある。凡夫（ぼんぷ）は凡夫でさびしく、聖者は聖者でさびしいのではあるまいか。しかし凡夫はなれる。「神にも仏にも馴（な）れては手ですべき事を足にてするぞ」（『蓮如上人御一代記聞書』）（島地三〇―一二〇、西一二七五、東八七九）。この馴れること、麻痺することによって、この愛のさびしさを忘れる。

けれども一度なれることによって平気になった凡夫も、愛別離苦に遭うや、たちまち覚（さ）めて人生の根源的なさびしさにつれこまれる。そして今さらにともに相あった因縁について考えるのである。わが子を餓鬼と叱った親も、わが子の死にあえば、これを祭壇に上げて拝む、そしてその心が過去に対して深い内省を起こさせる。かくして愛別離苦は人生を厳粛なものにする。『口伝鈔』にいわく、「愛別離苦にあうて父母・妻子の別離を悲しむとき『仏法を持ち念仏する機いふ甲斐なく歎き悲しむこと然るべからず』とて彼を恥ぢしめ諌むること多分先達めきたるともがら皆此の如し　この条、聖道の諸宗を行学する機のおもひならはしにて、浄土真宗の機・教を知らざるものなり」（島地二五―一九、西九〇四、東六七〇）と。真宗念仏の世界はそうではない。愛別離苦の悲しみを悲しみつつ、それゆえに本願を信じて念仏するのである。罪悪深重を知るのも、曠劫より以来の流転輪廻を感ずるのも、ただ独生・独死・独去・独来の絶対孤独の運命を知るがゆえである。

世尊の入滅に悲泣した仏弟子達は、無常の嵐の中に却って仏身の常住を感得し、罪業深重にさめて無限の大慈悲を知った。

地上の何ものによってもどうすることもできない悲しみ、その悲しみのみが、この世ならぬ浄土を、彼岸のものである南無阿弥陀仏を求めさせる。成功に得意になることができたり、人間の愛を真実と思うことができたりする人には、念仏は無用であろう。

所詮、人生は寂しい。それは人間の運命である。この人間の宿業をごまかすことなく受け取って念仏するとき、このさびしさに光が与えられ、ほのかなる喜びが与えられ、別れても別れることなき倶会一処の領域を知らされるであろう。人生の寂しさは何ものによってもどうすることもできない。唯これを内に転ずる者のみが大慈悲の摂取の中にあることを知るであろう。これのみが人間のたった一つの本当の在り方である。

二　光旅抄

（一）

「このみちや　行く人なしに　秋の暮」

芭蕉ならずとも旅の心はわびしいものである。
人はみな旅人だとつくづく思われることである。
そして昔から覚めた人ほど寂しい旅人であった。
私もまた旅人である。
何のための旅なのか心に問うてみる。

するとと私の心のおく底の声が
「それはたった一人の人を求めているのである」という。
お前はもう長い旅をつづけているのにそれが見つからないのかと問うと、
もうそのたった一人の人に出会った気もするし、まだ出会わない気もする。
私が旅を続けているのは、その一人の人に会いたいためであり、
私が微笑むことができるのは、
そのたった一人の人に会った気がするからでもある。

（二）

近所となりに行くには庭下駄(げた)をひっかけても行かれる。
百里の旅をするのにはそれ相当の足仕度(じたく)が要る。
千里万里の旅に出るのにはその仕度がある。
長い旅、永遠の旅、永遠の旅人の心、仕度はいいか。
何もかもすてて、要らぬものの全てをすてて身軽になれ。
しかしどうしても無くてはならぬものだけを大事に身につけよ。
永遠の旅人でないと、この要るものと要らぬものとの選択ができない。

要らぬものをたくさん身につけて要るものを忘れている。
永遠の旅人は少ない。
私はさびしい。
それは永遠の旅人の心にさめはじめたからだ。
しかし私は微笑む。
私の足もとにはどこからかほのかな光がさしてくるからだ。

（二）

住みなれた関東の同侶をすてて京洛に帰る親鸞の心、
奥の細道に哭く芭蕉の心、
ゲッセマネの園にたった一人最後の祈りをささげる、キリストの心、
嵩山の少林寺に逃げて面壁九年をはじめる達磨の心、
家をすててさすらうトルストイの心。
さまざまな旅人達が通っていったであろう、この旅の悲しい心。
だが、逸れてはならぬ、やめてはならぬ。しかし急いではならない。
夜が明けきるのには間がある。

虫が鳴く、美しい虫の声で道は埋もれている。

空が少し明るくなりかけたようだ。

あれを聞け、あの声を聞け、しきりに私をよんでいるではないか。

あの声を聞くと急に私の足は軽くなる。

永遠なるものの声。

(四)

足もとを見つめて歩け。

私は毎日の旅にこのこと一つを自分に言いきかせている。

私の旅に大事なことはこのことがたった一つである。

足もとを忘れたために傷をうけたり、
毒虫にかまれたりして困ったことが度々(たびたび)ある。

見よ、一切の人が、一切の主義者が誰も彼も、足もとを忘れては倒れてしまったではないか。

全体主義が足もとを忘れたら、個人主義が足もとを忘れたら、
共産主義が足もとを忘れたら、何でも皆、倒れてしまうのだ。

足もとを忘れるのは、鹿を逐(お)う猟師だけではない。

お前の旅にはいつも悪魔がついている。
名利の悪魔だ。
足もとを忘れたとき、お前はこの悪魔に誘われて小路に、迷路に入ってしまうのだ。
足もとを見つめて歩け。いつまでも。

（五）

私は旅をしながら「不思議」な気がする。
せんじつめていえば、この不思議ということが私の旅に得たたった一つのことだ。
私のふむ道はこの「不思議」で満ちているといってもいい、
何と不思議な道であることよ。
ふみしめればふみしめるだけ不思議である。
大きな坂が見えてくる。
しかし臆せずふむと、坂は坂ながらに平地になるし、
平地だと思っていても、私の心に旅をあやぶむ心が出ると急に坂になってしまう。
坂を厭う心が坂をつくり、
平地に執着する心が谷をつくる。

平気でしかも全身を打ち込んで歩めば、坦々たる大道がつづいていく。しかも私は多くの山坂や谷を越えなければならなかった。私の心の台のために。（闡提庵）

三　旅愁抄

（一）

「たとひ大千世界に　みてらん火をもすぎゆきて
　仏の御名をきくひとは　ながく不退にかなふなり」

（島地一一—一六、西五六一、東四八一）

わが旅は、一筋に生き抜いて、自然なる仏のお名告りを聞かんがための旅である。八風吹きすさんで人生行路の波高く、五濁の泥濘に溺れて悲愁の声哀れである。虚仮そらごと滋くして、群賊・悪獣の声巷に満つるに、ひとすじの道、現前脚下に顕れて僅かに生きることを得せしめたもうのである。

「野ざらしを心に風のしむ身かな」（芭蕉）

これは芭蕉のいわゆる「野ざらし紀行」の中の一番初めの句である。芭蕉は四十一歳の秋、門人の千里を伴って江戸深川の草庵を出て、はじめて、九か月にわたる野ざらしの旅についたのであった。東海道から伊勢路に入り、外宮に詣で、やがて、故郷に帰り、去年逝きし母の遺髪を拝して、

「手にとらば消えん涙ぞあつき秋の霜」（芭蕉）

と泣いた。それから、大和路を行脚し、吉野に入り、次々と古い歴史の里を巡って後、木曽路・甲斐を通って江戸に帰ったのである。この旅は芭蕉にとっては自身を野ざらしにする覚悟の旅であって、この野ざらしの旅において芭蕉は、「死にもせぬ旅寝の果てよ秋の暮れ」と侘びた。「わび人、我さへあはれにおぼえける」（芭蕉）中にも、だんだん広い世界に出ることができるほど旅をやめようとはしなかった。彼は野ざらしを覚悟の旅において、彼と古人とのつながりを、涙の体験において発見した。かくして、彼は最後まで旅人で終わった。私は旅人芭蕉に心をひかれる。旅人である我の前にあるものは、自然の山川草木と人とである。であるから、私の旅は自然の山川草木と人への巡礼である。人は時に悪逆を行い、醜悪なることばに人を傷つけるのに、なぜにかくまでに懐しいのであるか。時には虎狼のごとくかみつき、毒蛇よりも怖しきものであるのに、なぜこれほどまでに私を引きつけるのであるか。大自然の大地を

歩みつつ人を求めて旅に生きる。わが心のあわれに悲しく、はかなく愁いの深いのはなぜであるか。またこの旅においては、ほのかではあるが、底なき喜びと満足を獲（う）ることができるのは、なぜであろうか。悲愁と喜悦との一体なる旅心、それはただみ親の招喚（しょうかん）のみ声によって開かれる信心の、その信心の感ずる具体的な人生の永遠の今の相（そう）である。私にとっては、悲愁と喜悦とは具体的な人生それ自体である。

（二）

天、我をあわれみ恵んで、今日御正忌（ごしょうき）お逮夜（たいや）の十五日、外には雪花がちらついている。「雪を見れば、祖聖を憶い、古里（ふるさと）を念（おも）う」。故郷を離れてお念仏の旅路にあって三十年、来る年も来る冬も、憶い続けたこの念（おも）いである。

雪の聖者、旅の聖者に、今日雪の散華（さんげ）こそいとも相似（ふさわ）しい荘厳（しょうごん）である。

藤原の家より比叡山に、さらに比叡の山より人生に隠遁（いんとん）したまいて、念仏に帰し、配流（はいる）を縁として、荒野に悩む群萌（ぐんもう）の大地に旅路を選びたまいてより、田夫野人（でんぷやじん）の友となり、櫛風沐雨（しっぷうもくう）、うきふししげき人生行路の喜怒哀楽を内に転じて必堕無間（ひつだむけん）、愚禿（ぐとく）親鸞と悲泣し、そこに流れたもう大悲本弘誓願に覚めて念仏したもうた。

ああ、五濁悪世の煩悩業苦をそのままに荷負して生きぬきたもう白道（びゃくどう）は、白妙の雪よりも清白に、唯(ただ)一筋に唯一筋に静かにお浄土に帰りたもうた。その九十年のご生涯、今日はその地上最後の御一夜、涙なくして今日を過ごし得るであろうか。仏天、我をあわれみて雪を降らせたもう。

ああ、聖人ましまさずば憍慢(きょうまん)・邪見・悪逆・懈怠(けだい)なる我はついに地上に一人の師を得ることなく、一人の善知識に遇うことなく、あわれ永劫(ようごう)の流転を流転とも知らず、無意義に人生を空過するところであった。一人の善知識なき無人空迥(むにんくうこう)の大砂漠に旅する私であった。しかるに幸せなるかな、この流転の旅路において私はまことに偶々(たまたま)聖人の化導(けどう)によって法蔵因位(いんい)の本誓(ほんぜい)を聞くことができた。わが一生は如来聖人の真実教を聞信させていただくための一生であった。ただこのこと一つのための一生であった。

頭をあげて行く手を見れば、見よ、聖人の前に法然上人あり、源信あり、善導(ぜんどう)あり、道綽(どうしゃく)あり、曇鸞(どんらん)あり、天親(てんじん)あり、龍樹(りゅうじゅ)あり、釈尊あり、それを囲んで億々の念仏行者あり、皆永遠の大道を歩んでおられるではないか。それらの踏みかため、聞き顕したまいし大道に、我もまた出されたのであった。たった一つの道、本願の道、念仏すれば、火の中にも水の中にもこの道のみが常に現前したもうではないか。

今日御正忌、いよいよ私には厳かなるみ声が聞こえる。行かねばならぬ、歩まねばならぬ。いよいよ純粋にあのみ声を聞いて歩まねばならない。恐ろしいのか、嬉しいのか。深い感動が私の胸に満ちわたる。「聖人よ、ありがとうございます。九十年の悲願一道の御旅路は、私一(いち)人(にん)のためのご苦労でございました。ほのかに私の胸底に光りたもう光、それは聖人のご苦労の全てによって点(とも)されたものであります」。

外には雪が降っている。広間にはお念仏の声が聞こえる。一人だと泣いた旅路に多くの人を与えられた。だが、私は唯(ただ)一道をより純粋に歩ませていただかねばならぬ。

（三）

旅は、悲愁に満ちたものである。しかし、この悲愁から救われる術がある。

いわく、それは、魂を麻痺させることであるというより、大概の人は麻痺しているから笑って生きていけるのである。しかし、この魂の麻痺の相が深くなればなるだけ、無明の病はますます重くなってくるのである。この無明の病毒によって、悲愁を悲愁と感じなくなることを求める心、それがまた同時に、ほんとうの旅を忘れる心でもある。無明の病がすこしずつ薄れて、旅に旅立つ心には、麻痺からさめて悲愁がありのままに身にしみてくる。この悲愁の旅がさらに麻痺をさますのである。かくして旅は悲愁に満ちている。しかして、私は旅人でありたいと願っている。

（四）

今日も毎日、涙の子が私の前に来る。込み入った悲しい身の上を訴えて、人の世の矛盾に泣いて。形の上をどうしてあげようもない私である。

しかし、お念仏の教えが耳に入ると、昨日まで泣いた人が、今日はほほえんでくる。ほんとうの悲しみではなかったのである。人はみな、正法で洗えば消える悲しみを抱いたままで、自己を肯定して立ち止まっているのである。

深い悲しみを悲しみたい。大いなる悲しみを悲しみたい。深い大いなる悲しみとは何であるか。

法蔵菩薩の御悲しみである。

大いなる悲しみにのみ、大いなる喜びがある。

深い悲しみにのみ、深い喜びがある。

（五）

念仏の心は、今まで人生を楽園にすることが出来もするように考えた考えを、根底から打ちくだいて、曠初（こうしょ）より未来際（みらいざい）に亘って無明生死の荒涼たる大砂漠であることを自証する。しかるに、この荒涼の旅路にも、清い泉は湧き、念仏の浄華は咲いている。

しかし、止まってはならない。さようなら、感激の花よ。泉よ。大地の果てからしきりに喚びたもう声が聞こえる。

私は新しい旅路に発たねばならない。

(六)

華厳の賢首大師は、『大乗起信論義記』において、大覚、すなわち、仏にあらざる者のすべては、ただ、夢の中の諸相であるとせられた。

人生は夢である。覚めたというも、迷うというも、夢である。物思うというも夢見ることである。旅するというも夢見ることである。旅の嬉しさも夢見ることにあり、旅の悲しさも夢にある。

聖徳太子は夢殿に入って物を思いたまい、西行や芭蕉は旅に出て夢を追い、親鸞聖人の御一生の大事は全て夢告によって決せられた。

美しき夢、淋しい夢、夢の中に夢に驚き、夢の中に夢に覚め、夢の中に夢に眠る。明日の夢は雨か風か。果てしなき夢路を旅という。

「旅に病んで夢は枯野をかけ回る」(芭蕉)

（七）

聡明な男がいた。多くの人をつれだって、無尽の宝の国に行こうとする。途中は、道が険悪であって、人々は疲れ怖れて進む気を失った。そのとき、その聡明な男は、不思議力をもって、忽然（こつぜん）として一大城を出現し、人々に告げた。

「落胆せずともよい。この大城に入って思うがままに息（いこ）うがよい。城内は安穏である」と。

大衆は喜んで城中に入った。そして、心安らかに休息した。しかし、大衆はすでに、目的地に着いたかの思いをなし、もはや立ち去る意志もない。そこで、かの男は、幻作の大城を消し滅して言った。

「さあ、行こう。宝の国は間近である」（『法華経』化城喩品）と。

旅人よ。化城（けじょう）は安息の宿場である。理想の国、真理の都、涅槃の城は間近である。歓喜の化城が壊れたとて悲しまなくてもいい。旅を急げとのことである。懈慢界（けまんがい）の化城に足をとどめていつまでも眠ることが、道のごとく思えたら、心の芯の止まった時だ。願往生心は、水火の中を進む。だが化城の現われるも、化城の消えるも、大慈悲の恵みである。大慈悲を体感することが旅のいのちである、もののあわれという。

（八）

「行き暮れて木の下かげを宿とせば　花やこよいの主（あるじ）ならまし」（平忠度）

旅は悲愁にとんでいる。しかし、その悲愁の中に、淡いよろこびがあり、底なき寂しさがある。黙していく旅人には、時に一木一石が宿の主である。今日はここで憩わせていただき、今宵はここで一夜の宿を借る。自ら家の主ではなくて、一夜の宿を、今宵限りの宿を乞う心。これがすなわち、永遠の旅人の心である。旅人にとって大事なことは、一夜の宿を借る謙虚な心である。初め来たときは、旅人であり、宿人であったものが、後になると、図々しく居ついて自ら主となり、旅を忘れる。たとい一つ家に一生住むとも、旅の心を忘れず、客人たるの心を忘れず。

「終わりを慎むこと始めの如くす」に一貫したいものである。

唯（ただ）、永遠の旅人のみが、万世の師表（しひょう）である。

（九）

私は次のような人を見出した。何も言わず、誰の世話もしないでいるのに、この人が生きているために、その存在だけで多くの人が幸福であり、この人を思うだけで力を得、光を得、喜びを得る。もし、この人にしてもの言えば、それを聞いて多くの人は、道を得る。しかるにこの人をよく見れば、永遠を貫くたった一つの乗り物に乗っている。彼は、善悪を知らぬかのように人を裁かず、ただ、この乗り物に乗る人の少ないことを悲しむかのごとくである。彼は、この世にこの乗り物からはみ出したもののあることを知らない。

いかに波風は烈しくとも、この乗り物は、ただ、現在から現在に動いてとどまらない。

彼は、自らこの乗り物を操縦せず、方角を定めず、全我を托して不安を知らず、ただじっと過ぎゆく世相を眺めている。道とは、このたった一つの乗り物であるらしい。

親鸞聖人いわく、「爾れば大悲の願船に乗じて　光明の広海に浮かびぬれば　至徳の風静かに　衆禍の波転ず」（島地一二—三九、西一八九、東一九二）と。

（十）

家にいて暮らせば、何とかしのぎやすい。しかし、旅に出るとそうはいかん。あれがいる、これがいる。たくさんに足りぬ物が出る。

徳があったり、智慧があったりするように考えるのは、旅立たぬ人の錯覚である。

永遠の旅、死の旅、未来への旅、彼岸への旅に出発せんとする時、いかなる人も、無一物である自己を見出すであろう。

真実教にいう悪人愚者とは、このことである。

しかし、この無一物の自己を知った時、この一念こそ、この人の大安心の定まった時であり、最も豊やかにされた時である。

この矛盾の自己同一こそ、聖人の信の（願の）内的風光であった。であるから真の旅人は、「無有出離之縁」の自証の大地を踏まえて、「願入弥陀界」の帰依・合掌礼に生かされるのである。

最も貧しきがゆえに、最も豊やかなのが、この旅人である。

（十二）

「捨」という文字は大切なことを表す文字である。

長い旅をするときには、荷物を持っては続かない。行軍をするときなど、あれを捨て、これを捨て、しまいには髪の長いのまで荷になるそうである。

菩薩が道を行ずるのもそうである。大慈・大悲・大喜・大捨の四無量心といって、捨ててしまう一面がないと、他の三も成り立たないのである。

それは菩薩のことで、我々凡夫のことではないと言ってはならない。

蓮如上人は「ただ諸の雑行・雑修・自力なんどいふ悪き心をふりすてて」（島地二九—六八、

西一二〇二、東八四一）と教えたもうた。やっぱり捨てるのだ。名利を捨て、偽を捨て、仮を捨てて、そこに光るのが道である。道を行く者は、すなわち旅人である。

しかし、電灯が出てこなければ、ランプは捨たらない。

「全てを捨ててこい」と喚ぶ者は、太陽それ自身である。この真実それ自体こそ、私からすべてを捨てしめる慧日である。しかも、捨てしめることは、与えることである。

（十二）

我々は、過去の経験をふりかえって、なぜあんなことを言ったであろうか、為したであろうかと思うことがたくさんある。それがすなわち後悔である。

しかし、一つも後悔のない人はないであろう。古の聖達のように、今日の一言が明日の遺言であり、昨日の一句が今日の辞世であった人達は、尊い足跡を残して逝かれた人達であるが、かの人達にも後悔があったであろうか。人は後悔なしには生きられぬのではあるまいか。問題は、経験的自我の脱却ということであろう。親鸞聖人が横超の直道といわれたのは、いかなる人でも、経験的自我を脱却して一念に、後悔を回心懺悔に転成して悔いを喜びにしてくださる道があると示されたのであろう。

この経験的自我の脱却者の一言一言は、たとい、それが一文不知の老婆の言であろうとも、彼自身の道標であるばかりでなく、歴史的意義をもつ真理の名告(なの)りである。彼は、いつ死んでも悔いのない今日を生きているであろう。

(十二)

ほんとうの登山家達は、敬虔な心、山を拝むような心で山に登っていくのだと、聞いたことがある。

山を馬鹿にしたり、軽はずみに出かけていくと、とんだことになって、時には雪の谷底に葬られてしまったりするということである。自己満足の陶酔にありつつ、実は全く自損そのものである心に憍慢(きょうまん)心がある。自分では、高く高く登ったつもりでも、小山の上で肩をいからせ、自分で背伸びをしているにすぎない。謙虚な心で、一歩一歩、静かに歩むものは、しらずしらずの間に高い峰にたどりついているのであろう。いかに急に求め急に作(な)して頭燃(ずねん)を払うがごとくしても、憍慢な心を見ることができないならば、この旅人は決して、高きに登ることを許されず、高きを極めることができないから、視野が狭くて自ら憍慢になるであろう。

恭敬(くぎょう)の心(龍樹菩薩の易行道(いぎょうどう))とは、恭は謙虚の心であり、敬とは、それゆえに見えてくる高い次元の世界である。

旅人、汝よ。今日もまた、憍慢な心を凝視して静かに歩んでいけ。

（十四）

「旅」は「行」くものである。人は皆、旅行者である。とどまることを許されない。人生は旅である。旅であるから行かねばならない。

しかるに、この旅路には、苦楽・悲喜・矛盾・険難（けんなん）・恐怖等が満ちている。それゆえに、快楽には執着し、苦難をば逃避して、旅路を行き貫くことを忘れる。

この旅人の歩まねばならぬ大地を現実という。人は皆、この現実の中にあり、現実の大地を離れては、行歩（ぎょうほ）すべき場所はない。しかるに、人は、過去を回顧することができ、また、未来を予想することができる。もし、過去の回想のみに生きて、現実と取り組むことができないのは、それは旅に疲れた老人であり、未来の想望のみあって、過去と現実に盲目なる者は、無智の血気である。突進・暴行・犯罪・破滅が待つ。それゆえに、一歩一歩の行歩は、過去の歴史を背負ったものでなければならないし、未来への躍進を持たなければならない。前者を智慧といい、後者を感情という。この二者を一ならしめるものこそ「願」である。盗人も、大和路を走ることができる。しかし、そこには、思想も歌も詩も、何ものもない。名利の子もまた、現実の大地を忘れて、人生を空過しているのである。

人生空過の我をして、歴史的現実につれかえすものは、真実の教えであり、人生逃避の我をして現実を摂取せしめるものは、信心の智慧であり、生の老衰を活かして永遠の若人たらしむるものは、願である。而して、この三者は、具体的には唯一である。私にとってこの旅行とは、まことに願生、「願入弥陀界」の旅路のことである。

（十五）

私にとっては、今日一日は大変大事なもの、大切に生きさせていただかねばならぬものになってしまった。どうもよくよく考えてみると、体が元気で、思うさまに飛びまわっていた頃には、何やら人生そのものに大いなるところの意義があって、しかも今日一日はいろいろなものに追われてただ多忙であっただけであった。人生には意義があって、しかも今日一日は無意義に暮れていた。

ところが、今のような身の上になると、朝しみじみ今日一日の命を生きさせていただくことが有難い。大きく人生の意義というようなことが消えて、今日一日の有難さが心から頂ける。先覚者達が、仏法者に明日は無いといわれたこと、わからせていただける気がする。

過去の哲人達は心霊の美しさを発揮した人達である。本年はゲーテの二百年だとて、地球上の多くの人が、その詩人の、哲人の偉大さを讃えている。真の哲人・詩人は、大政治家よりも、大将軍よりも偉大である。

悲しきかなや、この尊き一日を蝸牛角上の小事に翻弄せられて、徒らにすぎていく。大いなる悩みを悩まず、大いなる喜びを喜ばず。
ただそのどうにもならぬ中に、お念仏申させていただくことである。

四　生命の流れ

朝七時過ぎに起きて、念仏をする。私一人である。一人で仏参するのは有難いものである。時には長く御聖教を頂く。書斎に帰ってお茶を飲む。朝食は頂かない。新聞を朝日と毎日と読売と読む。それから原稿、読書。十一時昼食。二時まで休む。その中、一時間眠る。二時から後また原稿を書いたり、手紙の返事を書いたり、お天気がよければ一時間くらい外に出てみる。疲れると横にもなる。六時半から勤行、『歎異抄』について語る。七時半夕食、八時寝床に入って何か読む。これが毎日の日課である。

この春は庭に咲いた小さい桃、小さい桜、小さい梨の花と、黄色な菜種の花を麦畑の間に見るだけですぎてゆく。あの山々谷々の間の桜花を見ることが出来なかった。しかし落ち着いて御法を頂くことが出来るのは、却って有難いことである。元気でも有難い。病んでも有難い。

病むということについて思い出せるのは、『維摩経』の維摩居士の病である。そこで『維摩経』を読む。彼は在家の大菩薩、私は在家の大凡夫・極重悪人、彼は問疾使文殊菩薩をして「世尊 彼上人者 難為酬対 深達実相 善説法要 弁才無滞 智慧無碍 一切菩薩法式 悉知諸仏秘蔵 無不得入 降伏衆魔 遊戯神通 其慧方便 皆已得度」といわしめている。

私にあるものは悪業煩悩だ。やれ無明生死だ、やれ苦悩愚痴だ。だがたった一つ彼の大居士に対応できるものがある。何か、南無阿弥陀仏だ。彼は「慧・方便、皆已に得度す」といわれるが、慧とは般若の根本智すなわち実智、方便とは方便智すなわち権智、こっちには実智も権智もないけれども、弥陀はこの般若と方便との二智を持っておられりゃこそ阿弥陀というのである。それがそのまま南無阿弥陀仏の名号に摂在する。この六字の前には、文殊も普賢も弥勒も維摩も「へえ」のみである。よしこちらは名号六字でゆく。するとなんと『維摩経』でも何でも有難いことだ。

この経の仏道品第八には、かの曇鸞大師が『浄土論註』に、そしてそれを聖人が証巻にお引きになった有名な句がある。「譬如高原陸地不生蓮華 卑湿淤泥乃生此華」とあるのがそれである。もっとも『浄土論註』では「此ノ華」が蓮華となっている。

すぐその次には、「是の如く無為の法を見て正位に入る者は、終に復能く仏法を生ぜず、煩悩ノ泥ノ中ニ乃有ニ衆生一リテ起ニ仏法ヲ一耳」と、なんといいではないか。「無為の法を見て正位に入る者」とは二乗の証のことである。二乗は駄目、それよりも、「煩悩の泥の中に乃し衆生有りて仏法を起すのみ」。それから少しゆくと、「たとえば巨海に下らざれば、無価宝珠を得ること能わず。是の如く煩悩の大海に入らずば一切智の宝を得ること能わず」とある。

無価宝珠とは我らにとっては六字の名号、一切智宝も同じこと。凡夫の悲しさ、いくら煩悩の大海に入ったところで溺れるだけで何もないが、有難いことに六字を頂いた上では、「そうでござんす、そうでござんす」とみな頂かれる。「少しでもよいところがあれば迷うのに、まるで悪くてわしが幸い」と太平楽が言われるのも六字のおかげ。

だが頭を上げるでないぞ。「高原の陸地には蓮華を生ぜず」、頭の高いのが高原の陸地、煩悩の大海に入るとは、機の深信、「無有出離之縁」と頭が下がらぬと、蓮如さまに「我ばかりと思ひ独覚心なること浅ましきことなり　信あらば仏の慈悲をうけとり申す上は、我ばかりと思ふことはあるまじく候」（島地三〇―一四、西一二六〇、東八七二）と叱られる。弘誓の大船に乗らずに煩悩の大海に手放しで入られるものか。

さて、話は前にもどるが問疾品において、文殊が仏の問疾使となって方丈に行き、世尊の問意を伝えて後、三つの問いを出している。すなわち一には「この病は何に因って起こったのか」、二には「病が生じてから久しいかどうか日数の久近」、三には「病の癒える期はいつか」というのである。

これに答えて「維摩詰言 従痴有愛 則我病生 以一切衆生病 是故我病」という。これは一切衆生は「痴より愛あり」、無明によって貪愛をおこす、この病愛によって有漏の身を受けて実病を感ずる。この衆生の実病によって菩薩に応病ありというのである。私が今日病んでおるのは痴愛による実病である。しかるにボサツの病むは「一切衆生病むをもって、この故にわれ病む」のである。この言を聞いているといつしかに維摩を忘れて、『大経』の法蔵菩薩を念うことである。

「若一切衆生得不病者 則我病滅。所以者何。菩薩為衆生故入生死。有生死則有病 若得離病者 則菩薩無復病。乃至於諸衆生愛之若子。衆生病 則菩薩病。衆生病愈 菩薩亦愈。」

かくのごとき言説を聞いていると、いよいよ法蔵菩薩の若不生者の御誓いを念うことである。一切衆生が病む間、菩薩もまた病む。如来が従果向因して菩薩となりたもうことが、ボサツ身を示現したもうことが、すなわち衆生の病を病みたもう相ではないか。だから衆生海がつきぬ限りボサツもまた滅度しないであろう。

次に第一問について更に答えて、

「又言三是疾何所二因起一　菩薩疾者以二大悲一起」

菩薩の病は大慈悲からおこる。凡夫の病、私の病は痴愛よりおこる。南無阿弥陀仏だから実病は私一人しかないのだ。病苦は業から出たのだ。しかし大悲は、この業苦あるが故に生ずるのだ。「弥陀の五劫思惟の願をよくよく案ずればひとへに親鸞一人が為なりけり、さればそくばくの業をもちける身にてありけるを助けんと思し召したちける本願のかたじけなさよ」（島地二三―一三、西八五三、東六四〇）との御述懐がいただける。


こうして『維摩経』を読んでいる中に、菩薩品で無尽灯という言葉に感激して、それについて一文を女性に贈ることとし、四月二十三、四日頃書きあげ、その後、中外日報を見ておると、金子大榮師が、『無尽灯』という本を書かれたそうで、中外には師の学業を大変讃えてあった。是非読ませていただきたいと思った。女だけが無尽灯の行者となれとのことではない。男も女も、老若・道俗、無尽灯の行者とならせていただかねばならない。灯が点っているか。どうだどうだ。火の消えた提灯は荷物になるだけ。この身に火が点っていないと、身も厄介、心も厄介、我ながら始末におえぬ厄介な代物だろう。六字の灯が点ってくださると、「如来大悲の恩徳は身を粉にしても報ずべし」と、お念仏は報謝の行、乗せて必ずわたしける。身も心も目方が軽うなる。無尽灯ならこそ、野火のように十七願海を出現してゆく。どの火もどの灯もみな南無阿弥陀仏、百千万の一一が南無阿弥陀仏。みんな集まっても三世十方同一の南無阿弥陀仏。

本部の夕べの勤行では、『末燈鈔』がすみ、「御消息」がおわり、『歎異抄』を頂きはじめた。三十何年お育てを受けた御聖教であるだけ、一番によく知っている御聖教であるが、さっぱり頂いていない。これからいよいよ本気で頂きたいと思うている。『歎異抄』といえば大派の妙音院了祥師の『歎異抄聞記』、何とこれだけ徹底した人はいない。この春の大派の蓮如上人四百五十年忌で、この了祥師や『仏教大辞典』の織田得能師に、贈講師（本派の勧学に当たる学階）を追贈された。織田得能師は『仏教大辞典』を作るためにこの世に出られたようなもの、私の一生における最大の恩人の一人である。また了祥師の『歎異抄聞記』も、よくあれほど読み、あれほど書かれたものである。贈講師は当然であろう。皆、後世に多くのものを与えて去った方々である。中外日報を読んで念仏する。（以上四月）

今日は五月の九日である。幸いにいいお天気である。今日は島根県黒沢支部十五周年記念講習会の開講の日である。午前八時、今頃は開講式がはじまる時である。私も八時、仏前で『小経』をあげていると、心は北へ遠く光善寺に走る。五月二日例会の二日目に大衆が私の部屋におしかけて、「どうか、このたびは思いとどまっていただきたい」との懇請によって、私も我が張れず、「ツツガナクゴライエヲマツクロザワ」の電報の返電には、「シュカンユケヌ……」、ついに花岡君に代講してもらうことにしたのである。誠に相すまぬことである。

昨日もいいお天気であった。広島県からも、広島、能美島、原、加計、吉坂、小河内等から、多くは中国山脈を横断して、黒沢まで半ば徒歩で参加したはずである。私は出席せずとも、「この聖会よ、美しく荘厳されて、魔事なく終了してください」と切念することである。

花岡君に托した、記念式典における主管の辞の最後に当たって、支部長を中心によく念仏一道を精進して、「自信教人信」「大悲伝普化」の報恩行を成就するために、左の五か条の心得を添えておいた。

一、我はと思い先達めくことは獅子身中の虫となることである。

二、他の師について一意専心精進する御同行を崇仰すること。

三、決して敵を造ってこれと対立せざること。

四、我らを悪み謗る人を悪み謗らず、かえってわが不徳をそれによって発見して、沈黙して精進すること。

五、御同胞同士の間を、常に正法によって洗い、不和を清算して、同一念仏の和を成就すること。

同胞が集まって、御讃嘆させていただくことは美しいことである。言葉よりもまずその人の存在が光り、そこから御念仏の御讃嘆が生まれるのは一語万金である。しかし「我は」と我がぬけず、居丈高になって人をとらえては、ご縁にあわせようとする。況やその間に人の攻撃をし善悪を裁けば、「はあ、あれが光明団か」と、その地に御法の弘まる邪魔をし、御同胞をイバラの道に追い込む。特に多年御法を聞く者は、気をつけさせていただかねばならない。

お念仏を嫌う人はあっても、お念仏の中に光るかおりを嫌う人はない。ついでに言っておくが、バスの中で女の人が、十八願がどうの十九願がどうのと話していた。その側へ、説教師の僧侶の方が乗っていた。聞きづらかったのであろう。「あんた方はどこかへ参るのかね」「はい、光明団へ参ります」、それが僧侶とわかると沈黙したそうである。その講師は、次の寺での講演に、今の話を出して光明団の大攻撃だったとのこと、非はこちらにある。

蓮如上人は『御文章』の中に幾度も幾度も「他人の中ともいはず、また大道・路次なんどにても関屋・船中をも憚らず、仏法方の讃嘆をすること」（島地二九―五二、西一一七五、東八二三）を停止せよと教えられ、聖人は、牛盗人とはいわるとも仏法者ぶるな、とお諭しくださった。多年聞く人はよく知っていつつこれを犯すのは、心の底に何かまだ残っているのではないか。本当のお念仏や御讃嘆が、不用意にこぼれたのなら、御僧もまた念仏したであろう。次に他の師について一意専心精進している御同行を謗ったり、無理にこちらに連れこもうとしてはならぬ。その精進を仰がせていただかねばならぬ。私は私によく言って聞かせる。皆、聖人の御同朋・御同行である。

次に常にいうこと、敵を造って対立してはならない。煩悩には敵がある。信心には敵はない。我を悪み謗る人を、悪み謗ってはならない。『末燈鈔』にも「この念仏する人を憎み誹る人を憎み誹ることあるべからず、あはれみをなし、悲しむ情をもつべしとこそ聖人（源空）は仰言ありしか」（島地二―三、西七四八、東五九五）とある。ましてや、にくみもそしりもしない人を、悪み謗るが如きことがあってはならない。そしられたら却ってわが不徳を知らせて頂いて沈黙して精進させていただこう。

最後に同胞の間に溝を造って不和を生ずるようなことがあっては相すまない。同一念仏の和を成就させていただこう。

以上は、黒沢支部の記念講習に際して全国の御同胞に捧げる悲涙である。

花は散って春は去った。世は青葉の夏となる。花は感激の象徴、青葉は精進の相、農家はこれから多忙となる。いよいよ、私のすきな夏である。枯れるか茂るか、退か不退か、生命の流れているもののみが生きてゆく。御同胞よ、お念仏の中に大地に合掌し念仏して稲を作ってください。

五　御同朋

安静を命ぜられて、病の床に静養を続けています。毎日、ほとんど誰にも会わずに寝ていますと、多くの同朋が次から次と見舞いに来てくださる。もの言わずに一人一人の同朋とお話をします。また家内や本部の人たちを通して、同朋のうわさが聞こえてきます。またお手紙が私を見舞うてくださいます。有難いお便りを頂いては嬉しさのあまり涙します。こうして私の内も外も、御同朋の憶念によって荘厳（しょうごん）されています。

御同朋は如来よりたまわりたる、私の全てであります。もし私から、全ての同朋を取り去られたら、私は無内容な無意味なものになります。念仏に生きたもう多くの御同朋は、私のお念仏の全内容であって、私のための十七願海であります。この御同朋たちは教法の中から生まれ、したがって如来大悲誓願海から出現して、しかも私を憶念してくださいます。それ故にまた私の憶念の対象界であります。親鸞聖人が、自らの教法の中から誕生した念仏の人を、御同朋・

御同行と拝まれた御意を頂くことが出来ます。

朝から晩まで一人で寝ていると、各地の御同朋たちが、次々に現われてきて私に語りかけます。そして私に念仏させてくださいます。時には一人で笑ってみたり、心配事のある同朋の御家庭のことを心配してみたり、喜んだり、悲しんだり、泣いたり、笑ったり、一人で寝ておっても、退屈しないにぎやかなことであります。

わけても、私の心を強く打つものは、各地の同朋の御精進、御讃嘆会のさかんな有り様を耳にすることであります。不思議に御同朋の有難い日々の歩みは、私の耳に入りやすく、そして私を感動せしめます。学問だけでも駄目、口だけでもだめ、名利心はなお更だめ、ただ念仏自然の行歩のみが、大千応感動の事実であります。

憶えば、私の過去三十年の歩みをして、今日あらしめたのも、皆、同朋の力強い御念力の賜でありました。どんな事が起きてきても、私を倒さない、私をやめさせないで、一貫し続けさせた強い力が、同朋の憶念の力であります。御法義を、抽象的な話にしないで、具体的事実としてお示しくださるのが、御同朋の存在であります。それ故に十年も二十年も一貫して変わりなく歩みきってくださった支部や同朋の存在は、私にとってはかけがえのない、尊い有難い至宝であります。

その中にはすでに七十、八十の高齢に達して、遠く本部までは、出かけてくださることの不可能な御同朋があります。私がその地方に行くという日だけを、忘れがちな心にも一所懸命におぼえていて、坂を越えて、お寺に行ってみれば、私は病気で来ていない。がっかり力を落として涙しながら、お念仏しておられる御老体が思われます。もうこうしたお年寄りの同朋とは、この世ではお会いできないかも分からない。しかしお念仏の中で毎日会わせていただきましょう。そして倶会一処（くえいっしょ）と、お浄土で再会させていただきましょう（読者の中で近方にこうしたお年寄りがおられる方は、ここを読んで聞かせて私の心をお伝えください）。

しかし、かくのごとき福智蔵・蓮華蔵界の人生への顕現も、もとに帰せば、如来本願の回向顕現であります。如来浄土の回向顕現なればこそ、帝網無尽（たいもうむじん）の憶念の世界がこの世に開けてくるのであります。一南無阿弥陀仏の具体的内容であります。お念仏に一切のお徳がこもっていてくださるのであります。でありますから我々は、同朋の憶念を受け取らせていただいたままが、本仏親様にかえって、念仏せしめられるのであります。

有るものはただお念仏一つであります。「我らの世界」（本巻第五章一節）において述べたように、人間的なものによって結ばれず、一人ひとりが合掌して所有せず、所有されず、純粋に念仏申すことによって、如来の本願、真実信心の貫流によって自然に結ばれたところに、この御同朋の世界が開けてくるのであります。

力によって人を圧伏せず、圧伏されず、各々人格の主体性を確立したままが、同一信に生きて一大ハーモニイの中に生かされているのが、この御同朋・御同行の我らの世界であります。

御同朋は如来浄土の内眷族、つまり、お浄土の親類であります。この世の親類以上の親類であります。この世の親類だけでは、兄弟だといっても、年を取ればだんだんその間が疎くなり、くれた、くれなかったと、とかく欲心がものを言って、なかなか一つにはなれない。お浄土の親類では、そんな事がものを言わず、如来大悲の血によって結ばれ、真心と真心とが直接にふれ合い、同一の信、同一の行に生きさせていただくが故に、最も深い心において大満足を得るのであります。これは教法の前に、謙虚に頭を下げきって、同行善知識を発見した者だけが知る喜びであります。

お話に出かけた講師が、帰ってきて、「どいつもこいつも話のわかるやつは一人もおらぬ」と言ったとすれば、それは、聴衆よりも先に、その講師の頭が高かったのである。お浄土の風に波打つものが、この世の菩薩の草である。お浄土の風を吹かせずして、なびけと言うのは無理である。百千万言の雄弁も謙虚なる一言には及ばない。病床に響いてくる御同朋たちのたった一口の言葉が、私を根こそぎゆり動かして、念仏せしめてくださいます。「念を念ずるものは念また念ぜらる」。かくして無尽に念と念が対応するところに、念仏三昧の世界があります。

一行一心専復専、純粋に純粋に念仏申させていただきましょう。その人は一時は淋しい身の上でも、必ずそのうちに御同朋が恵まれてきます。粗雑な歩みは、賑やかなようでもやがて冬枯れて万古に寂蓼を残します。蓮如上人は「我ばかりと思ひ独覚心なること浅ましきことなり」（『蓮如上人御一代記聞書』）（島地三〇―一四、西一二六〇、東八七二）と誡められました。切るに切られぬ御同朋を発見させていただいたのも、如来本願の回向であります。ゆめゆめ同朋同士の間にあっては、目くそ鼻くその善悪ばかり裁くことなく、その善悪の中に光りたもう念仏を拝ませていただかねばなりません。もしそのことが出来なければ、一人の御同朋をも得ることは出来ないでありましょう。噫、今さらに御同朋に捧げ奉る如来のみ名。それぞれの持ち場にあって、念仏一筋に生きたまえかし。（口述筆記）

六　病床述懐

（一）

如来は法界の正しい良心である。これを智慧という。衆生の良心は迷妄そのものである。信心とは、如来の智慧光、衆生の心になりきって、その全情意となり、理性となりたもうことである。されば、念仏の子とは、法界の正しい良心を生きる人である。かるが故に、信心のみが清浄といわれ、真実といわれる。されど念仏の子にも八万四千の煩悩がある。如来はこれを咎めたまわず。唯一生相続して念仏不退なるものは、法界の良心を良心とし、如来の真実を真実として生きるが故に等正覚の菩薩と讃えられるのである。

世尊聖人が万人の親となり、その崇敬を一身に集めたもう所以は、法界の良心を良心として生きたもうが故である。世の極悪・極苦を見聞して法界の良心「南無阿弥陀仏」を頂ける、身の幸を思うこと切実である。（八月三日）

（二）

本気になって念仏申せ、しかし本気になっても本気になっても、心が本気になってくれない。本気になろうとすればするだけ、妄念・妄想が出てくる。それでこそ本願の正機である。きれいな心をあてにするな。きたない心を気に病むな。よろこんだのも駄目、よろこばぬのも駄目、ただ本願の力強さに気がついて、機の善し悪しを捨てて念仏するのが、本気になって念仏するということである。

（三）

今一度言わせてくれ。お浄土まで念仏が相続するということ、これが一番一大事、これがお他力である。摂取不捨である。（八月五日）

（四）

老病死よりほか何ものも持たないこの私と、永遠常住なるみ仏と、一体になりきるのが信の世界である。それは、私がなるのではなくて、南無阿弥陀仏が私になりきってくださるのである。だから手放しで念仏申せるのである。私になりきってくださるお慈悲の中で、身も心も投げ出して南無阿弥陀仏。煩悩業苦は南無阿弥陀仏のお宿である。

（五）

あなたの御意（こころ）はどうなのか、あなたの真意はどうなのか、師の御意はどうなのか、師の真意はどうなのか。それが私の、たった一つの永遠の問題である。それを忘れると、名利（みょうり）が心のすわりとなって、ご恩を尻の下に敷く。

（六）

若き教育者よ、御身はこの世の自然（じねん）の泉でなくてはならぬ。自然の浄土は、その水源である。

（七）

教育者であることに、最大の喜びと最深の悲しみとを発見することができた日、この人は人間として本質的な自覚に入り始め、真の人生に生き始めるであろう。

（八）

宿命を転じて、使命に生きることを、自由という。これを横超（おうちょう）という。（八月六日）

◆住岡夜晃著作出典一覧◆

本書もくじ	*『全集』収載巻	初出	著作年
第一章　世の中安穏なれ			
一　光明	第十二巻	光明25巻10号	一九四九（昭和二十四）
二　日本を救う道は何か	第十二巻	光明24巻1号	一九四八（昭和二十三）
三　宗教問答	第十二巻	光明24巻6号	一九四八（昭和二十三）
四　真宗といのり	第十二巻	光明25巻2～4号	一九四九（昭和二十四）
第二章　愚者のめざめ			
一　孤独の内転	第十二巻	光明25巻6号	一九四九（昭和二十四）
二　正しい人生の領解	第十二巻	光明24巻6号	一九四八（昭和二十三）
三　因縁	第十二巻	光明24巻10号	一九四八（昭和二十三）
四　智慧	第十二巻	光明25巻5号	一九四九（昭和二十四）
五　大地に頭を下げて念仏申せ	第十二巻	光明25巻5号	一九四九（昭和二十四）

＊『全集』:『住岡夜晃全集』

第三章　念仏者は無碍の一道なり

一　生死の苦海	第十二巻	光明25巻7号	一九四九（昭和二十四）
二　一道に生きよ	第十二巻	光明24巻	一九四八（昭和二十三）
三　無碍道	第十二巻	光明25巻1号	一九四九（昭和二十四）
四　要道不煩	第十二巻	光明25巻8号	一九四九（昭和二十四）
五　宿命から使命へ	第十二巻	光明24巻	一九四八（昭和二十三）
六　無尽灯	第十二巻	光明25巻6号	一九四九（昭和二十四）
七　一つのことば	第十二巻	光明25巻10号	一九四九（昭和二十四）
八　常行大悲	第十二巻	光明25巻7号	一九四九（昭和二十四）

第四章　仏心とは大慈悲これなり

一　泉	第十二巻	光明25巻0号	一九四九（昭和二十四）
二　三縁の慈悲	第十二巻	光明24巻2～4号	一九四八（昭和二十三）
三　四無量心	第十二巻	光明24巻3号	一九四八（昭和二十三）
四　大慈悲の表現	第十二巻	光明24巻4号～25巻3号	一九四八（昭和二十三）
五　大慈悲の領解	第十二巻	光明25巻4～8号	一九四八（昭和二十四）

題名	巻	初出	年
第五章　仏法ひろまれ			
一　我らの世界	第十二巻	光明25巻8号	一九四九（昭和二十四）
二　青年よ、精進せよ	第十二巻	光明24巻9号	一九四八（昭和二十三）
三　亡びゆくもの、新たに興るもの	第十二巻	光明24巻12号	一九四八（昭和二十三）
四　創立三十周年を迎う ※本団創立三十周年を祝う	第十二巻	光明24巻3号	一九四八（昭和二十三）
五　専復専	第十二巻	光明24巻4号	一九四八（昭和二十三）
終章　永遠の旅人			
一　愛別離苦	第十二巻	光明25巻5号	一九四九（昭和二十四）
二　光旅抄	第十二巻	徳山公論	一九四八（昭和二十三）
三　旅愁抄	第十二巻	光輪	一九四八（昭和二十三）
四　生命の流れ	第十二巻	光明25巻6号	一九四九（昭和二十四）
五　御同朋	第十二巻	光明25巻9号	一九四九（昭和二十四）
六　病床述懐	第十二巻	光明25巻9号	一九四九（昭和二十四）

※：初出タイトル

◆住岡夜晃・真宗光明団、関連出版物◆

書名	発行年	発行所	内容
住岡夜晃全集（全二十巻）	一九六一～一九六六年	真宗光明団本部	住岡夜晃の全著作
住岡夜晃先生（上）	一九八四年	真宗光明団本部	自伝・書簡・遺訓・年譜
住岡夜晃先生（下）	一九八一年	真宗光明団本部	伝記・追憶・座談会等
難思録	一九七七年	真宗光明団本部	昭和二十三、二十四年頃の晩年の著作
闡光録（上、中、下）	一九五〇～一九五一年	真宗光明団本部	住岡夜晃法語
讃嘆の詩	一九八七年	真宗光明団本部	住岡夜晃法語
讃嘆の詩（上巻、下巻）	二〇〇三年	樹心社	住岡夜晃法語
真理への道	一九三一年	光明団出版部	住岡狂風の説く「二河白道」（広島県連七十周年に復刻版刊行）
若い友のために（住岡夜晃選集第一巻）	一九七一年	山喜房佛書林	住岡夜晃全集からの抜粋

真実を求めて（住岡夜晃選集第二巻）	一九七一年	山喜房佛書林	住岡夜晃全集からの抜粋
不退転の歩み（住岡夜晃選集第三巻）	一九七一年	山喜房佛書林	住岡夜晃全集からの抜粋
女性の幸福（住岡夜晃選集第四巻）	一九七二年	山喜房佛書林	住岡夜晃全集からの抜粋
現代に生きる（住岡夜晃選集第五巻）	一九七二年	山喜房佛書林	住岡夜晃全集からの抜粋
花日記	一九九八年	真宗光明団本部	住岡絹家（妻）の日記、随想等
真宗光明団六十年史年表	一九八〇年	真宗光明団本部	光明団活動の六十年の記録
真宗光明団八十年史年表	一九九九年	真宗光明団本部	光明団活動の六十一～八十年の記録
真宗光明団百年史年表	二〇一八年	真宗光明団本部	光明団活動八十一～百年の記録
コスモスの花	一九九〇年	真宗光明団本部	真宗光明団創立七十周年記念誌
住岡夜晃先生と真宗光明団	二〇〇八年	真宗光明団本部	真宗光明団創立九十周年記念誌
光明団と広島師範と軍港宇品と原爆といま	一九九三年	関係有志	原爆当時の回想と記録

◆住岡夜晃略年譜◆

（年齢は数え年表記）

年	年齢	事項
一八九五年（明治二十八）	一歳	二月十五日、広島県山県郡原村大字中原三八七番地一に生まれる。父勘之丞、母コチの長男。郁三と命名されたが、戸籍にはあやまって都三と記載された。弟妹六人あり。両親は法義にあつく、自宅にてしばしば法座を開き、両親とともに幼少のころより聞法す
一九〇一年（明治三十四）	七歳	山県郡原村明倫尋常小学校に入学。小学校時代成績優秀により郡長に褒章される
一九〇五年（明治三十八）	十一歳	山県郡都谷村都谷尋常高等小学校に入学
一九〇九年（明治四十二）	十五歳	広島師範学校に入学
一九一四年（大正三）	二十歳	広島師範学校を卒業し、山県郡吉坂村吉坂尋常高等小学校に赴任
一九一六年（大正五）	二十二歳	夏、安佐郡飯室村尋常高等小学校に首席訓導として赴任。校舎の西南隅にある八畳の一室で六年間をすごす。薬王寺、広沢連城師より『歎異抄』をおくられる。同村養専寺所蔵の『大蔵経』をひもとき、求道精進の日がつづく
一九一八年（大正七）	二十四歳	夏、「信の火が点ぜられ、如来の慈光によみがえる」。十一月十五日、住岡狂風の筆名によって「親しい若い皆様よ」と題する檄文を発表し、光明団は呱呱の声をあげた

一九一九年（大正八）	二十五歳	一月、『光明』第一号を謄写刷で発行
一九二〇年（大正九）	二十六歳	一月、『光明』第十三号発行。光明団総会を開く
一九二一年（大正十）	二十七歳	二月、『光明』第二十四号発行。団員十名以上ある地方に光明団支部が設立されはじめる。四月、光明団創立三周年大会。大会ののち『光明』は活字印刷となり、第三巻として発行
一九二二年（大正十一）	二十八歳	私費を投じて『光明』の出版を続ける
一九二三年（大正十二）	二十九歳	三月末、五周年記念大会が飯室村養専寺を第一会場とし、ほかに第二会場をもって開かれ、済世軍総裁真田増丸師が講師として迎えられた。第一団歌「慈悲の涙に結ばれて」を作詞、作曲。大盛会のうちに終わった大会の直後、教職を捨てるか光明団をやめるかの岐路に立たされ、教壇を去る決意を固める。八月結婚。九月一日、「光明団」を「大日本真宗光明団」と改称し、本部を広島市外三篠町八八〇番地におく。十二月発行の『光明』原稿を原村の生家で執筆、五日の朝、祖先墳墓の前に「嘆仏偈」を捧げたのち、父母弟妹をともなって故郷をあとに広島に移る
一九二四年（大正十三）	三十歳	三月、本部を広島市南竹屋町五四一番地に移す。十月長女哲子誕生
一九二五年（大正十四）	三十一歳	七月、団歌集『妙なる響』を刊行

年	年齢	事項
一九二六年（大正十五）	三十二歳	一月、長女哲子の死。二月、二女公子誕生。四月、本部を広島市八丁堀二六番地に移し、月初め三日間の例会をはじめ、加えて屋外伝導をはじめる。七月、『光明』の姉妹誌『聖光』を発行。十二月、光明団女子青年会を設立。団歌集『釣鐘草』を刊行
一九二七年（昭和二）	三十三歳	四月、光明団に印刷部を設け、『光明』その他単行本の印刷をはじめる。八月、福山市鞆町明円寺において夏季講習会。以後四か年つづく。九月、父勘之丞死去。『悩める女性の胸に』刊行。十月、『念仏の父』刊行
一九二八年（昭和三）	三十四歳	四月、山県郡太田部各支部連合大会を開く。七月、三女早枝子誕生。十一月、『聖への扉』刊行。十二月、龍谷大学亀川教信教授を迎え、広島市芸備銀行階上において十周年記念大会、広島市の一般大衆へ働きかける
一九二九年（昭和四）	三十五歳	一月、結腸エス字状部イレウス症を発病し、二月末まで静養。四月、三日間の春季大会。十二月、報恩講が開かれ、以後例年の行事となる。同月、生活改善倶楽部を設立
一九三〇年（昭和五）	三十六歳	三月、春季大会。八月、鞆町明圓寺にて夏季講習会
一九三一年（昭和六）	三十七歳	一月、『光明』と『聖光』とをまとめて『光明』として発行。団の活動目標が、これまでは大衆を獲得することにおかれていたが、この年より以後「外より内へ」と急角度に変わってゆく。四月、石井英一の二女和枝と再婚。七月、『真理への道』刊行。八月、鳥取東郷温泉において夏季講習会。『歎異抄』を講ず。光明団聖講習会の始まり

年	年齢	事項
一九三二年（昭和七）	三十八歳	三月、『最後の日』刊行。光明団勤労学生協会の設立。八月、広島県厳島において夏季講習会。以後四か年「正信偈」を講ず。『愚禿の信境』刊行。十二月、三日間の報恩講において「涅槃経と真宗」を講ず
一九三三年（昭和八）	三十九歳	一月、御正忌講座。以後例年の行事となる。二月、三日間の華厳講座。四月、『我等の使命』刊行。八月、『聖光』復刊。山口県大島郡安下庄町安楽寺にて夏季講習会。十二月、十五周年記念大会。街に宣伝もせず、八丁堀の借宅で、きわめて静かに真剣な空気の中で講習会が開かれた。同十九日、本部を広島市庚午北町五一九番地に移す
一九三四年（昭和九）	四十歳	一月、不惑の年を期して、『光明』に「如来本願の真意」を四年間連載。二月、光明団日曜学校の開設。山口県都濃郡専宗寺において、『御本典』研究会。「証巻の大乗的地位」を講ず。四月、『仏凡一体の妙境』刊行。六月、光明団中堅隊を本部に召集して、以後三か年『大乗起信論』を講ず。八月、本部において夏季講習会。教育部会の設立。盆会が例年の行事となる。第一回島根県各支部連合講習会。十二月、報恩講において「正信偈」を講ず
一九三五年（昭和十）	四十一歳	一月、第一回教育部会講習会。「教育の成立と宗教」を講ず。六月、幹部講習会。第二十団歌「聖会の歌」作詞。八月、第二十一団歌「別れの歌」作詞。十二月、報恩講講習会。以後二か年間の春季・夏季・報恩講の三大講習会においての「曇鸞大師の宗教」を講ず
一九三六年（昭和十一）	四十二歳	一月、教育部会において「浄土の宗教と教育」を講ず。二月例会までの一か月間ほとんど毎日講義と座談。三月、春季講習会が例年の行事となり、三大講習会が定例化す。五月、夜晃と改名

一九三七年（昭和十二）	四十三歳	一月、教育部会において「『大無量寿経』と教育理想」を講じはじめる。第一回の台湾巡航。六月、幹部講習会において「『往生論註』恩徳記」の講義がはじまる。十二月、裁縫塾を開設し、石井梅窓が女塾塾頭に任ぜられる
一九三八年（昭和十三）	四十四歳	三月の春季講習会から三大講習会において「『観無量寿経』講話」が講ぜられはじめ、一九四九年春までつづく。四月、女塾の開塾式。八月、二十周年記念聖会
一九三九年（昭和十四）	四十五歳	八月、第一回山口県各支部連合講習会
一九四〇年（昭和十五）	四十六歳	四月、宗教団体法による宗教結社届をなし、従来の支部を解消して、新しい光明団規則によって支部を再建。五月、光明団教師規律をさだめ、審議会を設ける。朝鮮へ巡講。八月、『光明』『聖光』が政府の命令によって廃刊となる
一九四一年（昭和十六）	四十七歳	一月、『臣道実践と仏教』刊行
一九四二年（昭和十七）	四十八歳	一月、山口県巡講中、右田支部脇医院において慢性腎臓病と診断され、その後七月末まで塩分を絶って病床生活
一九四三年（昭和十八）	四十九歳	六月例会まで十年つづいた「『浄土和讃』講義」を講讃しおわり、七月例会から新しく「和讃」を講じはじめる。九月、広島文理科大学および広島高等師範学校学生の健民修練所を本部に開設し、翌十九年五月まで、三期の健民修練生が念仏の薫陶を受けた。まもなくこれら学生を中心とした土曜講座が開かれ、『歎異抄』を講ず

一九四四年（昭和十九）	五十歳	太平洋戦争の戦局が悪化して、物資が極度に不足するなかで、本部の行事をつづけ、各支部を巡講す
一九四五年（昭和二十）	五十一歳	一月、御正忌講習会において「『御本典』教巻」を講ず。八月六日の夏季講習会中アメリカ軍の原子爆弾投下により本部建物七割破損。十月、本部を山県郡加計町佐々木権吾宅にうつす。十二月二十日、本部の建物を応急修理して広島へ帰る
一九四六年（昭和二十一）	五十二歳	一月、教育部会の講義なく、病床にて法話。本部階下の一室に仮に仏殿を安置し、臨時講座として御正忌の会座をいとなむ。病床にて「『御本典』教巻出世の一大事」を語る。八月、夏季聖講習会。「『観経』真身観」を講ず。十二月、報恩講。加計支部において第一回広島県各支部連合講習会。「三願転入論」を講ず
一九四七年（昭和二十二）	五十三歳	一月、教育部会。「『観経』における教育の成立」を講ず。御正忌講習会。「『御本典』行巻」を講ず。二月、臨時講習会。「『御本典』真仏土巻」を講ず。三月、春季聖講習会。八月、夏季聖講習会。「『観経』三心釈」を講じはじめる。盆会。『阿弥陀経』を講ず。十二月、報恩講
一九四八年（昭和二十三）	五十四歳	一月、『光明』を復刊。「大慈悲」「難思録」を連載。「教育と宗教」を講ず。二月、冬季講習会。三月、三十周年記念講習会。六月、土曜講座において『大乗起信論』を講じはじめる。八月、夏季聖講習会。十二月、報恩講

一九四九年（昭和二十四）	五十五歳	一月、教育部会。「親鸞の仏性及び仏身観」を講ず。御正忌聖会。「『御本典』真仏土巻」を講ず。三月、病をおして右田支部十五周年記念講習会で「自然法爾章」を語る。三月、春季講習会。『法林』出版。四月五日、夜の勤行の後『歎異抄』法話がはじまる。五月、以後の例会を五日間とす。黒沢支部十五周年講習会に花岡悲風師代講。六月、『華園』出版。幹部講習会。七月、福山支部における広島県連に「自然法爾章」を講ず。八月、夏季講習会兼教育部会。会員に「病床述懐」を託し、花岡悲風、武井諦了、柳田西信の諸師代講。学生部会兼盆会講習会に花田保太、山本超雄両師代講。島根県連に柳田西信師代講。九月、山口県連並びに徳山支部創立十五周年記念大会に大森忍師代講。十月、『光明』第十号に「従仏逍遥」を連載しはじめ、第十一号掲載予定の原稿が一枚書き遺されて絶筆となる。十月十一日午前零時零分、腎臓病のため死去。十三日、柳田西信師導師となって真宗光明団葬挙行

あとがき

第五巻は、一九四五年（昭和二十年）から一九四九年（昭和二十四年）、五十五歳で亡くなるまでの、住岡夜晃最晩年の文章を集めたものです。

一九四五年（昭和二十年）八月六日、原爆が投下された時、広島市にある真宗光明団本部では夏季講習会の六日目の講義がまさに始まろうとしていました。混乱が少し収まった頃、同胞にむけて書かれた手紙からその当時の住岡夜晃の決意を知ることができます。

誠にこれから精進しよう。今日本を救うものは正法だけである。念仏だけである。自由の天地は念仏の華の咲くべき時を待っている。いよいよ精進しよう。今や世をあげて暗黒時代を出現し、光を求めています。そこで今力一杯働きかけることが第一であります。今からは私も、一切の条件を撤廃して何処へでも出かけてお話にゆくことに致します。（中略）いよいよ御念仏のみの時が来ました。一切の武器をすてたら、後に残るものは信のみです。

（昭和二十年十月二十八日）

一九四八年（昭和二十三年）『光明』誌が再び発刊できるようになると、この決意が次々と具体的に同胞へのたよりとなって届けられていきました。その「光明復刊の辞」から本巻は始まります。

第一章「世の中安穏なれ」では、終戦の混乱から立ち上がる力、真に日本を救うのは、正法による目覚め、「信」であることが示されます。

第二章「愚者のめざめ」では、苦悩の中にこそ大悲光明の智慧のはたらきがあること、そして第三章「念仏者は無碍の一道なり」では、大悲光明の智慧による目覚めは同時に、苦悩多き人生を使命をもって生ききることであると教えられます。

第四章「仏心とは大慈悲これなり」は、復刊された『光明』誌の最初から住岡が亡くなる直前まで書きつづけられた論文「大慈悲」を収録しています。「仏道とは『仏と鬼』との関係交渉である」とし、その関係交渉とは『大経』の本願成就によることが明らかにされ、その領解を親鸞聖人の『教行信証』信巻の三心釈をいただくことで教示されています。

第五章「仏法ひろまれ」では、如来回向の本願力による「信」で結ばれた「我らの世界の成就」、つまり僧伽の興隆への願いが語られます。

終章「永遠の旅人」は、本選集の第一巻に「信の火はかすかに点ぜられた」と表現されたその「信の火」が、彼の上で念仏となって燃え続け、また有縁の者を照らし続けている姿を教える文章を集めました。そのメッセージが届き、読者の上にも、その「信の火」があらんことを念じつつ。

二〇一八年八月十五日

『新住岡夜晃選集』第五巻編集委員　**原田敬三**

新住岡夜晃選集　第五巻　仏法ひろまれ

二〇一八年十月十一日　初版第一刷発行

著　者　住岡夜晃

編　集　真宗光明団
　　　　新住岡夜晃選集編集委員会

発行者　西村明高

発行所　株式会社　法藏館
　　　　京都市下京区正面通烏丸東入
　　　　郵便番号　六〇〇－八一五三
　　　　電話　〇七五－三四三－〇〇三〇（編集）
　　　　　　　〇七五－三四三－五六五六（営業）

装幀　山崎　登
印刷・製本　中村印刷株式会社

ISBN978-4-8318-4275-6 C3015